A felicidade é mesmo assim.
Tão inútil quanto empurrar um João Bobo.

FOTO DO AUTOR EM 1965

Clóvis de Barros Filho

A FELICIDADE É INÚTIL

A felicidade é inútil

4ª edição: Outubro 2022

Direitos reservados desta edição: CDG Edições e Publicações

*O conteúdo desta obra é de total responsabilidade do autor
e não reflete necessariamente a opinião da editora.*

Autor:
Clóvis de Barros Filho

Revisão:
3GB Consulting

Projeto gráfico:
Dharana Rivas

DADOS INTERNACIONAIS DE CATALOGAÇÃO NA PUBLICAÇÃO (CIP)

B277f   Barros Filho, Clóvis de.

A felicidade é inútil / Clóvis de Barros Filho. – Porto Alegre: CDG, 2019.
ISBN: 978-65-5047-022-7
1. Psicologia. 2. Felicidade. 3. Bem-estar. I. Título.

CDD - 131.3

158.1

Produção editorial e distribuição:

contato@citadel.com.br
www.citadel.com.br

ADVERTÊNCIA

TUDO COMEÇA COM UMA ADVERTÊNCIA.

Sim. Advertência. Porque você pode não ter comprado o livro ainda. Ser do tipo que gosta de dar uma lidinha pra ver qual é a do autor. Se vai ser divertido ou um porre. Eu também faço isso. Se demos sorte, e você começou pelo começo, eu tenho a chance de te ajudar.

No título você leu *felicidade*. Como consta na capa de outros tantos que estão aí na livraria junto deste. Não é por acaso. No mundo dos que mexem com livros, acredita-se que um título com essa palavra ajude a vender.

Não é mecânico, tipo pa-pum. Estímulo e resposta imediata. Viu felicidade na capa, pronto, comprou. Seja o leitor quem for. Fosse assim, todos apostariam na fórmula. Mas há um atrativo inegável. Para muitos.

Sendo assim, esta é a oportunidade de corrigir alguns equívocos de expectativa.

Em primeiro lugar, este livro não ensina ninguém a ser feliz. Tampouco, mais modestamente, a viver momentos de felicidade. Não encontrará em suas páginas afirmações do tipo: pense desta forma, faça isso ou aquilo, deixe de agir assim ou assado, adquira tal hábito e a vida será feliz. Ou um pouco mais feliz que seja. Nada disso.

Também ficarei devendo alguma fórmula para medir ou simplesmente diagnosticar a felicidade. Própria ou alheia. Algo do tipo: o nível de sensação de felicidade resulta do alinhamento (não absoluto, mas tendencial) do nível de expectativa com o nível de vida experimentada, de realidade vivencial.

Nem régua, nem receituário, portanto.

— Mas, então, pra que serve o que você escreveu? É completamente inútil?

Termos como "completamente" trazem segurança. Mas costumam nos levar a erro. É absoluto demais. Sempre acaba aparecendo uma brechinha. Uma fissura. E a tal afirmação, que tinha 99% de pertinência, por causa do "completamente", acaba em falsidade. Tirando a razão de seu porta-voz no último segundo.

O que eu diria sobre este livro? Só pra te ajudar. Se você me der licença, claro. Porque, por tê-lo escrito, já o li até o fim.

Em primeiro lugar, para que a vida, diríamos como um todo, melhore, a leitura não serve. No entanto, ao longo das páginas, aqui e acolá, pode haver algum prazer. Uma satisfação. Decorrente da graça de uma ideia, da pertinência de algum exemplo. Mas que morre com a própria leitura.

Nesse caso, o espírito do leitor sorri. Com o livro aberto entre as mãos. E se for generoso o bastante, seus lábios o acompanharão. Comunicando ao mundo o bom momento. Mas acaba aí. Nenhuma aplicação posterior é sugerida.

Em segundo lugar, ao afirmar que a felicidade é inútil, não estamos sugerindo que não tenha valor. Que seja ruim. Que não valha a pena persegui-la. Buscá-la. Ou, simplesmente, entender do que se trata. Nada disso. Pelo contrário, até.

Porque, para nós, o inútil pode ser bom.

Em outras palavras: não prestar pra nada, ou não ter serventia alguma, pode indicar uma preciosidade. Um valor inestimável. O próprio bem supremo. Insuperável.

E aqui você se coça.

– Como assim? Onde pode estar o valor de uma coisa que não presta pra nada?

Então. Se a ideia despertou inquietação, siga adiante. Em nome da reflexão. E do prazer que a simples leitura possa trazer. Por ela mesma. Sem esperar muito mais.

Se o que você esperava da leitura não coincidir com a realidade vivencial que o livro promete oferecer, você é candidato a um instante de vida infeliz. Melhor recolocá-lo na estante. E esta advertência, ao menos ela, terá sido útil para alguma coisa.

Pronto. Advertido está!

Agora, se você se precipitou e foi logo pro caixa, aí não tem mais jeito.

PREFÁCIO
POR MONJA COEN

Hoje fiquei catando letras. Formando palavras. Frases. Sentidos.

A inutilidade da felicidade me inundou.

Assim, invadida pelos pensamentos do professor Clóvis, me senti pequena, insuficiente, inútil.

Um francês tornou-se monge tibetano. Mediram sua felicidade.

Como?

Aparelhos especializados da neurociência medem ondas mentais – e chegaram à conclusão de que essa pessoa é o homem mais feliz do mundo.

Como alguém pode chegar a tal conclusão?

Teriam medido todos os cérebros de todos os seres humanos? De macacos e cascavéis?

Sempre feliz.

O que significa essa assertiva?

Há trabalhos científicos a respeito. Não sou cientista.

Depois fui ao Butão. Fomos recebidos por membros do governo. Preparavam-se para apresentar, algumas semanas depois, em Paris, o Índice de Felicidade Interna Bruta. Índice mais adequado que o de Produto Interno Bruto.

Felicidade interna de um povo.

Faltou convidarem o professor Clóvis para os fazer pensar: felicidade tem a ver com o que mesmo?

Tradições, bem-estar, suficiência e muito mais.

A FELICIDADE É INÚTIL

Teria a ver com o rato correndo assustado entre as casas antigas? A barata voando no concreto? As matilhas de cães gordinhos e livres, recostados em volta dos sinos de preces?

Om mani padme hum.

Para que serve a felicidade?

Pode não servir para nada mais além de si mesma.

Breve, passageira e condutora do trem da vida-morte.

Professor Clóvis reflete, provoca, incita. Com exemplos de livros, filmes, autores, filósofos, histórias novas e antigas.

Colocou-me no prefácio – o que vem antes. Antes da face.

Qual face você tinha antes de seus pais nascerem?

É um *koan* antigo. Responda.

Qual a sua face?

Clóvis de Barros Filho

Sabedoria – tem a ver.
Professor Clóvis é brilhante, inteligente, ardente, amante de kombis e de voos gentis.
Gosta de escrever japonês... para nada.

Comecei a ler. Havia pressa.
Em mim ou na fala?
Foi gravado, transcrito, corrigido.
Sem ver, vê tudo em profundidade.
Tão profundo quanto o sono de uma criança saudável depois de brincar muito, muito, muito.
Criança que acorda, desperta e se maravilha com o instante incessante do que já foi. Passou.

Tem a ver com...
Felicidade tem a ver com...
Indefinível.

Felicidade, deves ser bem infeliz
Andas sempre tão sozinha
Nunca perto de ninguém

A FELICIDADE É INÚTIL

Era uma música.

Minha professora de violão (eu devia ter entre 10 e 12 anos de idade) chamava-se Felicidade. Ela não tinha pelos no corpo. Isso mesmo. Não tinha pelos nos braços, a sobrancelha era pintada. Era bonita, pequena, magra, quieta. E me ensinou essa música que nunca esqueci. Era ela, a Felicidade.

Felicidade, vamos fazer um trato
Mande ao menos teu retrato
Pra que eu veja como és
Esteja bem certa, porém
Que o destino bem cedo fará
Com que teu rosto eu
Eu vá esquecer
Felicidade, não chore
Que às vezes é bom
A gente sofrer

Por que ela vinha me dar aulas de violão?

Clóvis de Barros Filho

Eu não tinha talento algum. De certo era pobre, precisava trabalhar. Sabia tocar violão e dava aulas particulares em casas de meninas que tinham tempo e dinheiro.

Comecei e larguei. Como tantas outras coisas: relacionamentos, afetos, fetos.

Felicidade inútil.

Por não servir para nada especificamente, serve para tudo.

Aprecie a mente do professor Clóvis, que fala alto, vê mais longe que uma águia e ouve melhor do que um cão ou uma pessoa com tuberculose. Revela o mais íntimo de cada uma de nós, leitoras e leitores.

Aceite o desafio. Pense, repense, conclua, duvide, revide.

Pensar faz bem – para quê?

A FELICIDADE É INÚTIL

Um livro ditado, gravado, transcrito, é aula de tudo.

Ouço sua voz, escorrego e me levanto em seus pensamentos.

Obrigada, professor, pelo resumo vivido, potência ascendente que tem a ver com a inutilidade de ser feliz...

Mãos em prece,
Monja Coen

SUMÁRIO

1. O escravo das 1001 utilidades — 19

2. Pata imaginária apoiada no vento — 34

3. O mundo antecipou um tiquinho de Céu — 47

4. O ruim é por sua conta — 61

5. Amor pelo ódio de que somos vítimas — 70

6. No toque, a ânsia do deslizamento — 86

7. Diminuindo o estrago de ter nascido — 96

8. Locomotiva na farmácia — 110

9. Daqueles que ainda amam escola — 126

10. Birutas de aeroporto e bolhas de sabão — 136

11. Cegueta da retina coladinha — 148

A FELICIDADE É INÚTIL

12. A sela chinesa do cavalo selado 163

13. Vida que dispensa sobrevida 176

14. Pensar a vida e viver o pensamento 187

15. Periferia simbólica do grotesco 203

16. O gargalhar mudo do fidalgo 215

17. Corpo em chamas e a chacota mais vil 232

18. A castidade do ser galinha 246

19. All Star das últimas páginas 260

20. Empreste. Mas peça de volta! 276

CAPÍTULO 1
O escravo das 1001 utilidades

FELICIDADE TEM A VER COM O FIM DA LINHA.

O nosso tema sempre foi objeto do interesse de pensadores. Desde muito antigamente. Sem definição que se imponha. Não com aquela pretensão de universalidade indiscutível. Essa ainda não temos. E olha que tentativas houve. Do mais antigo ao contemporâneo.

– Se não se conseguiu até hoje, muito fácil não há de ser.

Por isso cada capítulo começa com um humilde "tem a ver". Se você, leitor, acha insuficiente, impreciso ou pouco rigoroso, claro que tem toda a razão. Afinal, isso de ter a ver é quase como não dizer nada. Não sair do lugar.

– De acordo. Se formos forçar a mão, tudo tem a ver com tudo. Ou quase.

Então...

Melhor ir dando exemplos

De fato. Parece muito mais fácil responder à pergunta sobre o que é que me faz feliz. Quem sabe se, começando pelas próprias experiências, não encontramos algo em comum e pertinente a outras também?

Assim, eu, autor deste livro, sou feliz quando alguém liga pedindo uma palestra sobre felicidade. Ou sobre outro tema qualquer. Felizmente os clientes são compreensivos e não cobram a tal definição. Também sou feliz quando posso me refugiar na cabana, no alto de uma montanha baixa, entre Amparo e Águas de Lindoia, no silêncio humano dos bichos tagarelas.

Clóvis de Barros Filho

Minha felicidade, quando os amigos sugerem comida árabe. Quando recebo um abraço de quem amo. Quando o Botafogo de Ribeirão Preto vence. Quando ainda tem muçarela fatiada para pôr naquele pão de fôrma com passas. E quando fica tudo bem tostado na tostadeira velha. Quando o grupo dos filhos pipoca mensagem sobre o almoço de domingo.

Sou feliz também ouvindo Elba e Zé Ramalho, Fafá de Belém e Alcione. Gal, Gil, e também Rita Lee.

Tem tanta coisa. Acho que é melhor parar! É tão mais fácil dar exemplos do que arriscar definições.

– Por que será?

Porque é da natureza da felicidade apresentar-se como inapreensível. Impossível de ter, reter, deter. Quando supomos agarrá-la, é porque já nos escapou. Quando tentamos detê-la, é porque já se evadiu. Damos de ombros a distância, resignados, quando estávamos certos da sua presença. E, quando menos esperada, eis que reaparece de supetão.

Parece mais visível e colorida na ausência. Bem mais incerta e dubitativa na presença. Reconhecemos a felicidade pelo barulho da porta que faz ao partir. Pela ruptura do instante que virou memória, da vida que virou relato, da sensação que virou narrativa.

Tá procurando o que aí? Posso saber?

Viscosa, escapadiça, sempre de saída. Ainda assim, a felicidade parece estar por trás de tudo que fazemos ou pensamos. Basta ir procurando razões para nossas decisões. À moda das crianças perguntonas.

Estudar no domingo, para que mesmo? Ir bem na prova? Passar de ano? Diploma? Faculdade? Estágio? Emprego? Salário? Consumo?

Clóvis de Barros Filho

Chegamos a uma casa em Maresias. Ah, vai. Um apartamento em Miami. Vixe. Pegamos um caminho meio pobre, digo, rico... Bem, entenda como quiser.

Vamos voltar lá ao estudo de domingo. Para que mesmo? Para aprender. Para saber. Para, para... Vamos, saber para quê? Para a felicidade, balbuciou o aluno mais tímido. Já arrependido de ter aberto a boca, ante o olhar da sala toda sobre si, fazendo pouco.

— E pra que a felicidade? — desafia o professor.

Silêncio da galera. De fato. A felicidade não é para nada. Porque nada importa além dela. Porque ela, por ela, não leva a nada. Nem pretende. Porque não é caminho para nenhuma outra coisa. Não é meio. Nem instrumento. É o fim da linha. Tudo que queríamos. Desde o começo.

A FELICIDADE É INÚTIL

Escravos aplaudidos

Inútil, portanto. Sim, a felicidade é 100% inútil.

E você, que sempre foi escravo, instrumento de outras vontades, terá passado a vida na utilidade. Mil e uma, talvez. E sendo aplaudido por isso. Associando inútil a coisa ruim, de nenhum valor. Ou a todos que não servem para nada. Imprestáveis.

– Eu?

Você mesmo.

Que não sossegou enquanto não viu seus filhos escravizados como você. Educando-os para serem úteis. Dia após dia. Agora se vê abestado. Perplexo.

Acaba de se dar conta de que o mais valioso, justamente por já ter valor em si mesmo, é perfeitamente inútil. Não precisa de mais nada que lhe confira utilidade. E, portanto, sempre valeu mais do que tudo de mais útil.

Clóvis de Barros Filho

Com efeito. O valor de utilidade precisa do outro. Sem ele, nada feito. Há, portanto, uma dependência. Para poder valer alguma coisa, pessoas, atividades e tudo o mais carecem daquilo para o que são úteis. Há risco, portanto.

– Qual risco?

Na eventual ausência desses últimos, o que era útil deixa de ser.

Assim, na hipótese de um mundo com gravadores portáteis, taquígrafos terão perdido a utilidade. E, nesse caso, o valor também. Como cafeteiras num mundo sem café. Sapatos sem pés, supositórios sem ânus, vozes sem tímpanos, xaropes sem garganta. Mas também professores sem escola. Ou sem alunos querendo aprender. Guloseimas sem famintos ou gulosos. E moral sem liberdade.

Da mesma forma, martelos, pregos, quadros e paredes. Cadeias de utilidade que vão distribuindo entre seus integrantes – instrumentos

A FELICIDADE É INÚTIL

— certo valor de utilidade. Uma interdependência frágil. Vai que alguém invente um jeito de pendurar quadros sem furar a parede.

Felicidade, portanto, não é martelo nem prego. Porque não precisa de quadros, na parede a pendurar, para receber sua quota de valor. Felicidade tem valor desvinculado. Incondicionado. Independente. Em si mesmo. Nada tendo a ver, portanto, com alguma utilidade. Por isso, talvez, todos a busquemos. Mesmo quando nos enforcamos.

Resta saber a que ela corresponde. Ou, se você preferir, o que deve acontecer na vida para que tenhamos certeza de que naquele instante houve felicidade.

A felicidade dos outros é muito útil

A investigação parece interessar ao mundo do capital. Afinal, por trás de tudo que se oferece ao consumo sugere-se, com maior ou menor estardalhaço, alguma felicidade.

Clóvis de Barros Filho

Quanto mais precisamente o mercado identificar as condições do consumo que faça advir esse efeito, mais calibradas serão as estratégias de oferta. De venda. De *marketing*. De sedução.

A ação do vendedor já foi um dia estritamente entregue ao improviso. À intuição do agente. Ao senso de conveniência do profissional. Podia dar certo. Claro. Mas também podia dar muito errado.

Isso de fracassar na hora de vender me fez lembrar do início do século XX na Rússia. E de Aviértchenko. Foi cronista famoso em Moscou. Uma de suas mais satíricas manchetes deu letras e luz ao encontro com um vendedor caixeiro de hábito curioso. Só deixava a residência de seus clientes voando pela janela.

Bastavam 20 minutos de conversa. E... ops, lá ia o Tsatská – que hoje significa caixeiro, mas que antes significava quinquilharia – da janela para a calçada. Com seu terno engomado e sapatos de couro. Arremessado por clientes indignados com tamanha falta de noção.

Aquele Tsatská tornou-se personagem recorrente das paródias, entrando para o inconsciente coletivo na Rússia. Dizem que suas últimas palavras no leito de morte foram estas:

— Queiram, por gentileza, experimentar meus últimos modelos de caixão sob medida. São excelentes.

Das crônicas de Aviértchenko, que já completaram 100 anos, até hoje, as técnicas de venda se sofisticaram. Para tanto, a felicidade dos clientes visitados pelo caixeiro tornou-se quantificada. Medida pela régua de questionários elaborados com critério harvardiano.

Top felizão

Converteu-se, assim, num número. Quanto maior a precisão aparente, melhor. A objetivação

Clóvis de Barros Filho

em algarismos de estados de espírito, levada a cabo em escala global, permitiu a confecção de *rankings* internacionais. Conferindo a este ou àquele país o título de campeão do mundo de felicidade.

Agora pare para pensar.

Se você é campeão do mundo de felicidade, tem todo o direito de desdenhar do campeão do mundo de peteca, pelota basca, carregamento de ovo na ponta da colher, arremesso de carambola ou medição com palito de fósforo.

Dá pra fazer pouco caso até de presidentes poderosos, banqueiros riquíssimos, de gente escandalosamente linda, de Lionel Messi, de Michael Jordan. E de um Prêmio Nobel qualquer. Afinal, todo dinheiro, poder, beleza e glória não valeriam grande coisa se não trouxesse para seus donos alguma felicidade.

— E sabemos bem que, no mais das vezes, não traz. Para quem é rico ou famoso, não é

A FELICIDADE É INÚTIL

nada fácil saber o que as pessoas querem de verdade quando se aproximam. Como identificar uma amizade sincera? Um amor verdadeiro nesses casos?

Querido leitor. Como dinheiro e fama nunca cruzaram o meu caminho, vou ficar devendo essa. Os raros incautos que se aproximam devem estar em busca do que seus corpos e mentes imaginam que eu seja.

Essa sua dúvida, um campeão do mundo de felicidade não tem. Já passou desse estágio. Não está submetido a essa incerteza. Já é feliz. O mais feliz. Em si mesmo e na comparação com o resto.

Quanto ao Prêmio Nobel, matemático genial, de que adianta ter encontrado a solução para a equação que intrigou a humanidade em toda a sua história, e ser aclamado por isso, se pensa em abreviar a vida dia sim e o outro também?

Clóvis de Barros Filho

Voltando ao mundo do capital. Ao consumo. Ao vendedor. Não basta, depois de criteriosa pesquisa, apontar o que mais faz feliz. Denunciar que não coincide com o que estão a vender. Sugerir mudança de estratégia. Alteração de oferta. É arriscado. Passivo demais. Não há que sucumbir ao *status quo* dos desejos.

É preciso ir à luta. Ser assertivo. Convencer. Alinhar na marra. Ajustar a crença de felicidade ao que estamos oferecendo. E, para isso, esfregar na cara a ignorância sobre si mesmos. Sobre o que pode lhes fazer feliz. Deixar claro que não estão desejando certo. Ou que desejam pouco. Que se equivocam. Que falta muito. O mais essencial.

Exatamente aquilo: o que estamos vendendo.

E, para os que estiverem no caminho certo, um prêmio. Isso mesmo. Ser feliz do jeito certo merece. Mais do que justo. Como garantiu a propaganda um dia: o mundo trata melhor

A FELICIDADE É INÚTIL

quem se veste bem. Como costuma dizer o Pondé, arguto observador do contemporâneo, o capitalismo empurra para a felicidade. Cobra a projeção de uma ideia do que é ser feliz. Empresários de verdade não combinam com depressão.

Por isso, talvez, felicidade tenha virado uma obrigação. Como avalia Karnal, com a elegância de sempre: tão obrigatório que ninguém nem pensa mais em ser feliz de verdade. Mas apenas em aparentar. Satisfação que devemos ao mundo para que finalmente nos deixe em paz.

Gladiadores do bem viver

Dessa forma, as "verdadeiras" condições de uma vida feliz convertem-se num troféu. Em disputa por agentes interessados. Ávidos por fazer acreditar que sem eles a felicidade imaginada é falsa. Ilusória. Descrevemos uma arena de luta. A contundência dos golpes costuma depender de certa capacidade de esconder as verdadeiras intenções de quem golpeia. Para que o argumento seja mais persuasivo.

A construção civil e seus supercondomínios. As agências de viagens e as experiências turísticas paradisíacas. Os MBAs, as promoções e os salários que asseguram. Os donos da empresa e seus planos de carreira. Compensação pela meta alcançada e o lucro assegurado. E assim por diante.

Sujaríamos todas as páginas deste livro com tintas de exemplos. Gente prometendo vida boa nunca faltará. E isso inclui palestrantes e autores de livros. Como os de autoajuda. Ou nem isso.

CAPÍTULO 2

Pata imaginária apoiada no vento

FELICIDADE TEM A VER COM ESPERAR.

O leitor vai a campo. Resolve investigar o que as pessoas têm a dizer sobre o assunto. Dispõe-se a colher discursos. Para depois analisá-los. Pergunta ao primeiro incauto que cruza seu caminho. A que, para ele, na sua vida de carne e osso, corresponderia a felicidade.

Sem isso, fica difícil

É possível que, após alguma embromação protocolar, terminasse relacionando sua vida boa à propriedade, ou simples posse, de algum

Clóvis de Barros Filho

bem. Digo algum bem material. Sem o qual "tudo fica mais difícil".

Percebendo que a entrevista é fértil e que o leitor tem suco pra falar sobre o tema, pergunta sobre outros bens que não aquele. O entrevistado admite que estes também fazem parte da sua lista de pré-requisitos para uma vida feliz.

Assim poderiam ficar a tarde toda. Enumerando coisas importantes e até indispensáveis para que finalmente alcançassem a felicidade.

E, com insistência de caixeiro russo, você vai mantendo o interlocutor no tema. Relacionando a sua felicidade a coisas que ele não tem.

– E isso? Que tal? E aquilo? Também não seria legal ter?

O seu carisma e a dinâmica da conversa conseguem retardar o tédio. Mas só por uns momentos. Finalmente, ele resolve dar um basta.

A FELICIDADE É INÚTIL

— Escuta. Eu preciso ir. Tenho o que fazer. Não posso me atrasar. Provavelmente nunca terei mesmo nada disso.

Reação previsível. Deu-se conta, talvez, de que a tal lista não tem fim. É nisso que aposta a sociedade de consumo. Atrelar a felicidade a uma lista interminável. E esconder o máximo que pode, no dia a dia das novas tentações, a impossibilidade de toda satisfação plena.

Você, animado com a primeira experiência, dá sequência à pesquisa. Aborda outro transeunte, disparando sem dó:

— Em que consiste, no seu caso, a felicidade? O que é necessário para uma vida feliz?

No caixão, o prazer dos bons momentos

Esse segundo entrevistado, intuindo a pobreza da primeira entrevista, em que a relação entre felicidade e posse disso ou daquilo não ficou de pé, vai direto ao assunto.

Clóvis de Barros Filho

Propõe que felicidade é prazer. Não haverá nunca uma sem o outro. São coincidentes, em suma. Pensando ao contrário, inconcebível qualquer felicidade na dor. Tanto quanto algum prazer francamente infeliz.

Não custa lembrar que há, na história do pensamento, gente importante a acompanhá-lo. Como o jurista e filósofo inglês Jeremy Bentham, por exemplo. Epicuro é outro que não teria dito diferente. Muito antes de Bentham, e com maior consistência argumentativa. Stewart Mill, também inglês, um pouco depois do primeiro, reforça muito esse time.

E assim, para o entrevistado e gente famosa, havendo prazer, haverá felicidade.

Você pede ao interlocutor que explique melhor. Que dê exemplos.

Ele começa com uma cachacinha. Você, que não é do ramo, lembra os efeitos da ressaca. Ele passa para uma feijuca no sábado. E você, já

A FELICIDADE É INÚTIL

com dificuldades digestivas, alerta para todos os riscos nada felizes de quem exagera na iguaria.

Ele, então, pensa em uma linda jornada de sexo. E você pondera que dores de cabeça inesperadas põem tudo a perder. Que nem sempre a verticalidade alcançada é suficiente. E que, depois do orgasmo, não havendo outros tipos de afetos, pode haver desconforto. Restando dormir. Ou encontrar um bom pretexto para a evasão.

Você, como investigador, interessado em estudar a realidade com ares de cientista, está me saindo pior que a encomenda. Por que não deixa as pessoas dizerem o que pensam? Sem enviesar as respostas.

Felicidade? Depende da febre

Surge um terceiro entrevistado. Começa dizendo que estava doente no fim de semana. Que, no auge do mal-estar, se deu conta de como seria feliz se voltasse a se sentir melhor.

Uma vez recuperado, lembrou-se da falta de grana.

O interlocutor diz ser estudante e estagiário. Felicidade mesmo será quando se formar. Curso de cinco anos. Ainda faltam três. E, claro, se for efetivado no emprego. Afinal, sem salário não rola. Tudo de bom. Emprego e diploma.

Aí, sim, garantiu: poderei relaxar.

Tudo isso, se não voltar a passar mal. Porque, nesse caso, voltamos à estaca zero. E nenhuma felicidade será possível sem deixar para trás aquela indisposição. Vencer a enxaqueca e parar de vomitar.

Em outra entrevista, o desempregado, que a cada dia se reúne com seus semelhantes em filas intermináveis, vê na estabilidade de uma rotina laboral e de um salário que lhe corresponda as condições óbvias de uma vida feliz.

Enquanto o outro, entupido de trabalho, com solicitação a não dar conta e demanda que transborda, vê num ano sabático, em férias prolongadas ou até mesmo na condição de desempregado, o eldorado prometido. O paraíso onde a felicidade é possível. O lugar onde não fazer nada é tudo de bom.

O solteiro, enfadado na vida afetiva instável, nauseado na superficialidade útil das conversas e na fugacidade conveniente dos encontros, vê em outro tipo de relação a oportunidade de um investimento afetivo mais qualitativo. Em que o conhecimento progressivo do outro abrisse gavetas e portinholas de um arquivo sem fim. Condição de envolvimento que valha mais a pena.

Quem sabe não seria esse o passaporte para a felicidade com uma cara-metade, meia-laranja, alma gêmea ou tudo o mais que aponte para um ajuste único, singular, especial, extraordinário?

Outro entrevistado, saindo de um matrimônio de 25 anos, alvejado pelo desentendimento

Clóvis de Barros Filho

que já dura e conflitos de grande crispação, diz praticamente o contrário sobre felicidade na vida daqui pra frente. Quando finalmente conseguir se separar, pretende conceder-se um tempo de muita diversidade de experiências. De grande fluidez. Amores líquidos. Sem nenhum engessamento.

Novos entrevistados se perfilam. E os discursos se sucedem. Na espera esperançosa. Quando eu for..., quando eu concluir..., quando eu curar..., quando eu beijar..., quando eu casar..., quando eu emagrecer..., quando eu me aposentar..., quando eu estiver morando em..., quando eu me livrar disso...

Última que morre

Na hora de falar de felicidade, a esperança parece mesmo um lugar-comum. Trata-se de um afeto. Da esfera das sensações. A potência sobe, por conta de algum mundo imaginado.

A FELICIDADE É INÚTIL

Apenas imaginado. A causa de toda esperança é sempre um conteúdo agradável de consciência. Que supera o imediatamente vivido.

Assim, você, dentro do ônibus, saindo da rodoviária, a caminho do litoral, supõe em sua mente que vai dar praia. O tempo não vai atrapalhar. Ou no ônibus urbano. Que sai do centro da cidade abarrotado. Corpos justapostos na iminência de coincidir na disputa pelos centímetros quadrados. E, na mente dos passageiros, um único clamor: aos poucos vai esvaziando. Não é possível.

O que se espera é sempre um real desejado. Por isso mesmo ausente do mundo percebido, até aquele momento. O afeto começa e termina no interior do esperançoso. No diálogo entre sua alma que concebe e seu corpo que sente.

Essa aparente soberania da esperança diante do mundo justifica a afirmação popular sobre sua resiliência: a última que morre. Brado de

Clóvis de Barros Filho

tenacidade. De quem não desiste nunca. Sendo brasileiro ou qualquer outra coisa.

Seja como for, a esperança morre na certeza. Na constatação empírica. Na informação irrefutável. Como a da sobrevivência do ser amado, passageiro em aeronave acidentada. Ante a informação definitiva de que não sobrou nada. Nem ninguém.

Dessa forma, toda esperança é luta de cada um. Resistência da alma que não se entrega, perante o mundo habitualmente devastador. Por isso, quando alguém constata que já não há esperança, parece insinuar que as chances de uma vida feliz doravante minguaram de vez.

Vida é esperança

Para muitos, o Velho Testamento, parecem mesmo uma coisa só. Vida e esperança. Lados de uma moeda. Imbricados. Juntos e misturados. Como sugere o livro de Eclesiastes, capítulo 9, versículo 4:

A FELICIDADE É INÚTIL

— Ora, para aquele que está entre os vivos, há esperança. Porque é melhor o cão vivo do que o leão morto.

Você, leitor, embarque na onda do texto. Deixe-se levar.

Imagine um cão. Não os de nomes estrangeirados, que circulam pelos *shoppings* de elite. Acostumados a carícias e cópulas com beldades do mesmo nível. Que recebem banho, tosa e perfume regularmente.

Esses, embora vivos, não carecem de esperança alguma. A não ser a de que tudo continue como está. Anseiam pela manutenção do *status quo*. Na incerteza de um devir que ainda não é. Conservadores do mundo como ele já é.

Imagine outro cão. De rua. Um cão de rua, manco. Sua pata imaginária apoiada no vento. Altivez sofrida. Talhada no desespero. Percorre seu trajeto com focinho ereto. Talvez se esquecesse de que há um chão, não fossem as outras

Clóvis de Barros Filho

patas. Esfoladas pelo esforço da compensação. Sua esperança vira centopeia apressada. Sobrevivente última. Enquanto houver vida.

Mas será no Novo Testamento que a resistência da esperança encontrará sua mais consistente explicação. Gestada na incerteza, e destruída na comprovação, a esperança estará completamente fortalecida se seu objeto estiver a salvo de ambas e resguardado pela fé.

Na vida eterna, claro. Fora deste mundo. Imune a toda investigação empírica e assegurada pela confiança em todas as muralhas já construídas. Agora, sim, de fato, é a última que morre.

Agostinho, contagiado pela esperança e, portanto, feliz ao seu modo, garante lindamente sobre o leito da mãe.

— Ela morrerá e, logo, eu também. Nada mais pode nos separar.

E o sábio africano continua:

A FELICIDADE É INÚTIL

— Nossa conversa chegou à conclusão de que o prazer dos sentidos do corpo, por maior que seja, e por mais brilhante que seja essa luz temporal, não é digno de ser comparado à felicidade daquela vida, nem mesmo é digno de ser mencionado.

A beleza do texto arruína todo comentário. Melhor um novo capítulo.

CAPÍTULO 3

O mundo antecipou um tiquinho de Céu

FELICIDADE TEM A VER COM NÃO ESPERAR.

Na contramão do que sugerimos no capítulo anterior, sábios estoicos e seus discípulos, séculos afora, propõem algo muito diferente. Preconizam uma felicidade sem esperança.

— Mas se o que todo mundo quer é ser feliz, como fica?

Então. A felicidade sugerida agora é sem esperança de nada. Nem mesmo dela própria. Até porque, se você espera ser feliz, é porque não o é ainda. Aqui, toda busca por felicidade será profundamente infeliz. Por alguns motivos. Três se destacam.

Medo, carência e ignorância

Em primeiro lugar, toda esperança seria inseparável do temor. Seu aparente reverso. Caminhariam juntos. Como o veneno e o antídoto. O doce e o azedo do molho. Assim, quem espera pelo sol teme a chuva. Quem espera sobreviver teme a morte. Quem espera a riqueza teme continuar pobre. Quem espera ser amado teme a indiferença.

Verdadeira gangorra. Que pode pender ora pra um lado, ora pra outro. Em função de fragmentos de realidade que, sem trazer certeza, abastecem a alma. Reforçando convicções. Seja para renovar esperanças, seja para nos apavorar de vez.

Assim, se esperamos pelo sol, ou tememos a chuva, uma previsão meteorológica faz balançar nossa alma e seus afetos. No temor da morte, a notícia de um novo medicamento. Na esperança da riqueza, o anúncio de uma herança inesperada. Um pacote econômico. Estilhaços de real que diminuem a incerteza absoluta. E nos fazem flutuar. Entre a esperança da ocorrência alegre e o medo da triste.

Em jogos, como um de basquete da NBA, se você é torcedor de um dos times, a expressão flutuar é branda demais. A alma do torcedor é mesmo arremessada. A cada ataque. E defesa. Temor e esperança se revezam. No quicar da bola no aro adversário.

E, faltando menos de um segundo, na final do campeonato, partida empatada, seu time no ataque, a bola flutua, paralela ao chão. Deslocamento aéreo. *Flashes* de luz por toda parte. Entre a mão do seu ídolo e a cesta, tratados inteiros sobre felicidade merecem ser escritos.

A FELICIDADE É INÚTIL

Enquanto a bola não alcançar seu destino, a vida ficará em suspenso. Com o temor impregnado na esperança, como a lepra na pele. Impossível cravar alguma experiência de felicidade cristalina.

– E se a cesta for convertida? De três pontos.

Nesse caso, já não há incerteza. Portanto, não cabe mais falar de esperança. Ao menos essa aí, relativa a esses pontos. Converteu-se em alegria dos atacantes. Tristeza dos defensores. E de seus respectivos torcedores.

– E se a bola bater no aro e não entrar?

Inverta tudo. Afetos e afetados. E passamos adiante. Se me permitir. Vimos que a esperança, acompanhada do temor, traz perturbação. Mas o azedume dos esperançosos não acaba aí.

No instante em que esperamos, o mundo esperado nos falta. Trata-se de um afeto em carência, portanto. Em frustração. O real pelo qual se espera, ou se deseja, é, ao menos naquele

Clóvis de Barros Filho

momento, desmentido pelo vivido, ou percebido. Fissura infeliz, certamente. Em castidade. Sem toque. Sem gozo.

E tem mais.

Nesse mesmo instante, quando somos afetados de esperança, ignoramos a ocorrência efetiva daquilo que esperamos. Se tivéssemos certeza a respeito da sua superveniência, não esperaríamos mais.

A alma não flutuaria entre a quase certeza do sim e a quase certeza do não. Extenso intervalo, da euforia ao desespero, todo ele atravessado pela incerteza. Alguma incerteza, ao menos. Que crava de insegurança toda experiência. E preenche de infelicidade toda lacuna.

E, tanto para o medo quanto para a carência e para a ignorância, vale um aditivo. Se pudéssemos fazer advir o que esperamos, com certeza converteríamos imediatamente o mundo esperado em mundo percebido, vivido

A FELICIDADE É INÚTIL

e desfrutado. Assim, só esperamos porque não tem outro jeito. Afeto resignado. De impotência, portanto.

— Mas, com a esperança tão detonada, como vislumbrar uma vida feliz?

Restaria uma felicidade sem esperança. Numa vida sem mundos imaginados. E, portanto, sem muitos desejos. Que se esgotaria toda ali mesmo. No imediato do instante vivido.

Será possível? Será vivível? Será recomendável? Viver assim, sem devir cogitado. Isso se aprende? Há treinamento? Numa eventual educação para a vida, poderíamos preparar alunos para uma competência tão radical como essa?

Cabana de desesperança

Talvez. Na cabana, quem sabe. Só lá a vida é feliz.

A cabana é o meu lugar. Onde o mundo antecipou um tiquinho de Céu. Com fragmentos de eternidade. Onde os tempos da alma se dissolvem em instante puro. E as agendas viram pó. Onde não há justificativas. Por falta de quem as cobre. Onde não há explicações. Por falta de causas. E de efeitos. Onde não há eus. Por falta de outros. Nem enfadonhas identidades. Com suas pálidas distinções.

A cabana é reconciliação. Amável com o mundo. Onde a potência de vida quer mais. Pedaço de lugar que acolhe. Do sórdido ao canalha. Sem pensar em julgar. Na paz inesperada entre o medo e a cobiça.

Acolhe também o generoso. Que abre mão porque acha certo. Tanto quanto o amoroso, que faz o mesmo sem nada achar. Lugar tão raro a cabana. De nome Felicidade.

"A felicidade é inútil" e uma cabana. Fim de tarde. Frio. Chocolate quente. Uma companhia, talvez. Alguém de convivência amena. Que arredonda. Diverte. Fórmula de felicidade. Tiro e queda. Ao menos até você cair na real.

A FELICIDADE É INÚTIL

Porque na cabana há vazamentos. A luz cai toda hora. No frio, ela congela. O chocolate quente leva leite. Tem a lactose e sua intolerância. Tem os quilinhos a mais. Esses, sim, arredondam. E quem ainda resiste ao seu lado quis jogar o livro pela janela depois de meia hora de leitura. Afinal, estão só vocês dois por lá. E não tem mais nada a fazer. A não ser um com o outro.

Tem de tudo na cabana. Não há o que esperar. E, na total desesperança, resta viver o que há.

Continuamos com a pergunta. Será possível viver assim? Usando a nomenclatura das revistas de bem-estar, "harmonia plena"? Ou "simplesmente pleno"?

Antenado e ensimesmado

Atenção! Esses estados de espírito acima não são sempre coincidentes. No primeiro caso, de harmonia plena, a plenitude resultaria de um encaixe no resto. De uma integração. Toda mudança fora cobraria reacomodação interna. Uma plenitude antenada no mundo, portanto.

No segundo caso, o do simplesmente pleno, fica a impressão de que nada externo atrapalharia. Estado de espírito autônomo. Soberano. Condicionado a si mesmo. Uma plenitude ensimesmada.

Fiquemos com essa última. Para todos os que acreditam que a felicidade é um estado de harmonia entre partes de si mesmo, estrita questão de alma elevada, nada que já exista no mundo – fora de quem vive – ou possa nele acontecer importa muito. Nenhuma condição material de existência é relevante.

Nesse caso, a felicidade seria perfeitamente possível em espaços humanos deteriorados, em um meio ambiente poluído, em situação

A FELICIDADE É INÚTIL

de carência material, na solidão, na estrita falta de afeto humano, na prisão e assim por diante.

Dessa maneira, a ideia de que a felicidade dependeria de um mundo justo, bom, generoso, afetuoso, abundante – diferente do que é – dá lugar a um entendimento de vida feliz, estritamente determinado por uma educação espiritual.

Em outras palavras, o caminho da felicidade deixa de ser uma ação transformadora do mundo e passa a ser uma intervenção sobre si mesmo. Aqui o *superpop* Descartes se junta ao time. Para ele, muito mais viável do que mudar o mundo inteiro é mudar-se a si mesmo.

No entanto, veja que interessante. Um dos efeitos prometidos por essa terapêutica da alma é uma relação mais fluida e menos dependente das coisas do mundo. Mais contemplativa e conforme. Menos vitimizada e revoltada.

Reencontramos aqui a tal "harmonia plena". Ou a nossa plenitude antenada.

Não é outro o convite dos estoicos, atualizado, no pensamento contemporâneo, com elegância por Comte-Sponville: um pouco menos de lamentação, um pouco menos de esperança e um pouco mais de amor pelas coisas como elas são. Pelo jeito em que já se encontram.

Vida vivida nela mesma

Impossível não lembrar aqui do doce Forrest Gump. Habita nossa memória das mais lindas lições de generosidade. E tudo devemos ao caipira de Tom Hanks. No primeiro flagrante que o filme nos proporciona, encontra-se sentado em um banco de parque. Está à espera do ônibus que o levará até Jenny, sua amiga de infância.

A FELICIDADE É INÚTIL

Enquanto espera, relata a história de sua vida às várias pessoas que passam por ali. E com ele dividem o banco. E que história!

Sem maiores expectativas, trata de viver cada dia. Sem jamais se queixar. Tornou-se um homem. Bem-sucedido. Aclamado herói de guerra no Vietnã. E rei do Camarão na América. Do seu jeito despretensioso, conheceu J. F. Kennedy, Lyndon Johnson e Richard Nixon.

Uma fábula inesquecível e tocante. Sobre uma vida vivida nela mesma. Com quase nada de memória, nostalgias e arrependimentos. E poucos projetos, ambições e futuros.

Penso que seja um pouco isso que muitos colegas teimam em chamar de vida simples. Ainda que cheia de sucesso.

— Isso é bem bonito de dizer. E de ouvir. As telas de cinema abrigam mesmo muita excepcionalidade. Mas na hora em que você sai pra vida e começa a apanhar, isso de mais amor pelas coisas como elas são não passa de uma bofetada suplementar. Um deboche.

Estou sorrindo porque é também o que eu teria dito, em muitos momentos, se perguntado a respeito. Como quase todo mundo que teve de ir à luta para ganhá-la, sempre tive a impressão de encontrar muito mais agressão do que acolhimento. Difícil não lamentar o que é. Difícil não esperar pelo que não é. Quanto ao amor pelo mundo, então, nem sem fala.

Mas, aqui, estamos aprendendo o que pensam pessoas tão incríveis como Marco Aurélio, filósofo imperador estoico, ou Comte-Sponville, professor e autor de quem sou fã, há muito tempo. Vale a pena deixá-los falar. Se, depois de ouvi-los, continuarmos não concordando, teremos submetido nossas convicções a argumentos poderosos. E, portanto, fortalecido nosso pensamento.

A FELICIDADE É INÚTIL

Quanto à dificuldade de colocar em prática o não lamentar — ante agressões em série —, suponho que estariam dispostos, até eles, a conceder pertinência. Talvez, por isso mesmo, a nuance prudente do filósofo. Lamentar, só *um pouco menos...*

CAPÍTULO 4

O ruim é por sua conta

FELICIDADE TEM A VER COM OS PRÓPRIOS LIMITES.

— Tá se queixando do quê?

Pergunta muito repetida em tempos de educação menos delicada. Já hoje, em tempos de muito mimimi, foi se tornando menos recorrente. Em casa, vinha sempre acompanhada de uma advertência:

— Não tem nada do que se queixar.

E, não raro, um complemento:

— Não tá faltando comida no prato.

A FELICIDADE É INÚTIL

E você, leitor, certamente também não tem muito do que se queixar...

— Opa. E como! Não falta do que me queixar.

Mas do que exatamente?

— De tudo que é ruim.

Quando você diz que uma coisa é ruim, de onde tira esse valor? Por que acha ruim o que acha ruim?

— Uai. É ruim porque é. Não tem muito essa. Quando é ruim, é ruim.

Vamos ver. Me dá um exemplo.

— Você falou de educação. Lembrei-me da infância. Em casa me obrigavam a comer bife de fígado uma vez por semana. Era ruim. Está aí um ótimo exemplo do que tive para me queixar.

Uma pergunta. Alguém mais comia esse bife?

— Meus pais e minha irmã.

E o que eles achavam?

Clóvis de Barros Filho

— Minha irmã não reclamava muito. Minha mãe, não lembro. Já meu pai exultava. Comemorava desde o dia anterior. Comia de se fartar. Lambia os beiços. Com cebola bem fritinha. À veneziana, ele dizia. E tome pimenta. Fazia lembrar *Éramos seis*, da senhora Maria José Dupré.

Mas éramos mesmo só quatro.

Puxa. Que lembrança literária bem-vinda. Romance paulistano que retrata o começo do século. Uma família como qualquer outra. Júlio, seu chefe, à cabeceira. Sempre austero. Dona Lola, mãe zelosa de quatro filhos tão diferentes. Na casa da Av. Angélica. Tudo tão familiar pra quem ainda mora no bairro. Mas, ao mesmo tempo, tão distante. Agora só edifícios.

Mas voltemos ao bife, se você permitir.

— Pois não.

Você disse que o bife era ruim. E que ruim é ruim. Não havendo muito que discorrer a respeito. Muito bem. Em seguida, você disse que sua irmã não reclamava muito. E que seu pai se deliciava. Temos aí um problema.

Se ruim fosse ruim, e ponto-final, como você sugere, não acha que sua irmã deveria desgostar do bife tanto quanto você? Se ruim fosse ruim, sem mais, não deveria sê-lo para qualquer degustador? Ora. Você mesmo disse que não era o caso. E como explicar, então, o regalo paterno?

— Ok. O bife era ruim para mim. Minha irmã, e sobretudo meu pai, não achavam ruim. Só eu.

Mas o que era ruim, exatamente?

— Ora. O sabor. A textura. O que eu sentia quando mastigava. Ao engolir.

Acha que seu pai e sua irmã sentiam a mesma coisa?

— Não sei se sentiam a mesma coisa e achavam bom, ou sentiam outra coisa muito diferente e só por isso achavam bom.

Acha possível você sentir o gosto sentido por outra pessoa, ambos degustando a mesma iguaria?

— Não. Certamente, não.

Então, o que seu pai sentia ao ingerir o bife sempre foi um mistério para você.

— Isso. Nem ideia.

Acha possível sentir em você qualquer outra sensação de outra pessoa? Tipo, a dor que ela sente no dentista? O perfume que sente a noiva ante o próprio buquê? O tédio produzido pelo filme no rapaz do lado? O orgasmo da esposa ao qual você terá dado causa?

— Não. Cada um com suas sensações. Não há como se apropriar do que sentem os outros.

Você concorda, então, que vivemos em total solidão afetiva. Ainda que possamos ter muita

A FELICIDADE É INÚTIL

gente por perto. E mais do que isso. Se não sentimos o que os outros sentem, temos o direito de supor que eles também não podem sentir o que sentimos?

— Plenamente.

Assim, você admite que o tal gosto do bife de fígado pode ter a, digamos, participação de quem o degusta?

— Pode, não. Certamente tem.

Então, atribuir ao bife a "culpa" pelo gosto que você sentia é uma bobagem?

— De fato.

Você também aceita que, se você fosse seu pai, isto é, tivesse a boca, língua, papilas gustativas, dentes, saliva, esôfago, estômago dele, talvez também adorasse o tal bife?

— Aceito, claro.

Então vamos ter que reconsiderar. Você disse que o bife era ruim. Pedi para falar a respeito e você disse, enfadado, que ruim é ruim.

Clóvis de Barros Filho

Ora, não é tão simples, como estamos vendo. O bife na verdade é bife. O ruim ficou por sua conta. Certo?

— Certo. Tenho que admitir.

Dado o encontro do bife com o seu corpo, o resultado gustativo produzido nesse encontro te desagrada. Já o encontro do mesmo bife com o corpo do seu pai produz um resultado de sensação superagradável. Então, se você, por mágica, se tornasse seu pai, adoraria o fígado.

— Está bem. Mas não sei aonde você quer chegar. Já chega desse famigerado bife!

De acordo. Mas para sair do bife, aceite que o que vale para a experiência da sua degustação pode valer para qualquer experiência. Dessas que você diz se queixar com todos os motivos.

Assim, ante certa temperatura, haverá quem não sinta o calor que você sente. Tampouco o frio de que você reclama. Haverá quem encare água em baixas temperaturas numa boa. Há

A FELICIDADE É INÚTIL

quem leia romances e não consiga fechar o livro até concluir. E quem escolha estudar contabilidade na faculdade.

— Você está querendo dizer que se eu fosse outro não sentiria necessariamente o que sinto. E, portanto, a cada situação de que me queixo, não teria do que me queixar.

Um pouco é isso mesmo. Quem educa busca alguma transformação do educando. Nesse caso, alguma preparação para o mundo. Torna-te menos frágil e sofrerás menos. As experiências desagradáveis são geradoras de couraças que diminuem o sofrimento de outras semelhantes e supervenientes.

Assim, cada "deixa de frescura, moleque" que eu ouvia corresponde hoje a alguém que come rigorosamente de tudo, dorme em qualquer cama, ou cadeira, toma banho em qualquer água, trabalha quanto tiver que trabalhar

Clóvis de Barros Filho

para sustentar os seus. E com pouquíssima reclamação.

Agora, se há felicidade de verdade nisso, aí eu já não sei. E depois, voltemos aos estoicos. Afinal, você tem razão. E pra sua sorte, a vida vai além de um bife de fígado.

CAPÍTULO 5

Amor pelo ódio de que somos vítimas

FELICIDADE TEM A VER COM ACEITAR.

Lamentar ou reclamar menos implica, de cara, uma aceitação. Do mundo como ele é. Do real, que não é outro senão esse aí. Aceitar de verdade supõe eliminar da mente tudo que denuncia inconformidade.

– Como assim, inconformidade?

Do tipo...

– Puxa, isso é assim! Mas bem que poderia ser assado, frito. Ou de outro jeito qualquer.

Afinal, toda reclamação advém de um desalinhamento entre um flagrante de ocorrência

Clóvis de Barros Filho

no mundo fora de nós e alguma expectativa a respeito desse mesmo mundo em nós. Como nos casos abaixo.

– Tinha que chover justo hoje! A previsão era de sol!

– Na hora de cruzar o semáforo, o vovô do Corolla na minha frente freou no amarelo. E me impediu de passar.

– Esse juiz é caseiro. Sempre beneficia times mandantes!

– Estourou algum cano. Inundou a casa inteira! O encanador me garantiu que estava tudo em ordem!

– Podemos reclamar de tudo, então!

Claro. Quanto mais tivermos expectativas sobre as coisas e quanto mais observarmos o mundo a nossa volta, mais encontraremos desencaixes.

Assim, podemos reclamar da natureza quando ela não nos favorece. Da garoa ao

A FELICIDADE É INÚTIL

tsunami. De terremotos e vulcões. Do frio de rachar, do calor de fritar ovo no asfalto, do sol durante a semana, do tempo encoberto no fim de semana, e por aí vai.

Mas, de longe, o objeto mais recorrente das nossas lamúrias são pessoas como nós. Seus interesses, gostos, escolhas, decisões, ações, estratégias etc.

Assim, lamentar um pouco menos aqui se traduz em não se queixar do outro. De ninguém. Nunca, de preferência. Isto é, jamais conceber que devesse ter agido de maneira distinta. Não se indignar em momento algum. Mesmo ante iniciativa muito diferente daquela que esperávamos.

Não se deixar afetar de tristeza ante uma decisão fundada em argumento ou princípio contrário ao que usaríamos. Isso em situação de mero dilema ético. Mas também em violenta disputa ideológica. Na barbárie absoluta. No

Clóvis de Barros Filho

último degrau da miséria humana. No sofrimento gratuito de uma criança. Na agressão que avilta o indefeso.

Continuamos com o ensinamento. Já falamos sobre lamentar um pouco menos. Passemos agora a esperar também um pouco menos.

Você é do tamanho dos seus sonhos

Fique aí sonhando e a vida escorrerá. Pouco nítida, pálida, em preto e branco e frustrada – responderiam nossos sábios estoicos. A sabedoria da felicidade proposta por estes não é, definitivamente, para uma vida de sonhos. Por isso, esperar um pouco menos.

Se o lamento implica uma discrepância entre o mundo flagrado e o mundo suposto, a esperança também requer dois mundos: o primeiro ainda não flagrado, portanto ignorado, sobre o qual paira incerteza, e o outro imaginado, concebido, suposto e, claro, esperado.

A FELICIDADE É INÚTIL

Perceba, leitor, que tanto no lamento quanto na esperança há uma ideia em nós de como gostaríamos que as coisas fossem. A diferença é uma só. No caso do lamento, o mundo de carne e osso já apareceu na nossa frente. É uma certeza verificada. Que nos desagradou.

Já no caso da esperança, ainda não. Sobre o mundo esperado paira ainda a incerteza. Seja porque não estávamos lá, no instante das ocorrências pretéritas, já resfriadas pelo tempo, seja porque o mundo esperado ainda está por suceder, no devir ainda morno dos nossos amanhãs. Até lá, cada qual com sua angústia.

Os sábios parecem sugerir que deixemos de lado nossas expectativas, na medida do possível. Que paremos de tentar supor como seria o mundo se ele fosse bom. Se esvaziássemos a mente de todos esses mundos imaginados, talvez estivéssemos mais livres para encarar a realidade de maneira plena, de corpo e alma.

Clóvis de Barros Filho

Glutões enviesados

A ideia pode fazer sentido. Afinal, se estamos assistindo à aula com um professor e atravessa nossa mente a figura alteada de outro docente, que nos apetece mais, a aula efetivamente assistida se converte numa experiência empobrecida, sem plenitude.

Um pedaço de nós está ali, naquela sala, em aula enfadonha. Um outro está em devoção imaginada. Do professor idolatrado. Na excitação escolar dos nossos devaneios. Na carência dos nossos desejos de conhecimento.

Se vamos viajar de econômica com a mente pairando na primeira classe, estamos dilacerados entre uma realidade que nos aperta e uma imaginação que nos afrouxa o corpo. Concedendo-nos folga e espaço. Da cadeira assardinhada ao leito palaciano. Metade aqui, metade lá, na frente diferenciada da aeronave.

A FELICIDADE É INÚTIL

Se nos toca comer com simplicidade e ao mesmo tempo imaginar iguarias sofisticadas, sempre ausentes dos nossos pratos, tornamo-nos glutões enviesados, que comem o trivial com a boca e o requintado com a mente.

Se o nosso companheiro ou companheira tem seus excessos de adiposidade, seus sulcos em ruga, seus hálitos esporádicos e seus odores intermitentes, talvez nos ocorra um príncipe ou princesa zerado em banha e perfumado 24/24. Insatisfação que abre a porta da traição, das iniciativas escusas, dos celulares trancados, dos *nudes* em privacidade.

Amor: vida afirmativa

Por isso lamentar menos e esperar menos. Mas até aqui, só negações. Pura negatividade. A sabedoria de não fazer isso ou aquilo pode ajudar. Mas não basta. Fica faltando o positivo. A vida substantiva. A existência afirmativa. O que fazer no lugar.

— Exato. Se você me diz para não comer açúcar e farinha, fico esperando pelo cardápio autorizado. Pelo que devo comer. Se você me deixa livre e libera qualquer outra coisa, me devolve para a angústia.

Exato. Ficou mesmo faltando assertividade. Então, aí vai. Ame. Ame o mundo. Tanto quanto puder. No limite que conseguir. Eis o que estava faltando. Só o amor é positivo.

Assim, em vez de denunciar o real como discrepante de nossas ideias, de esperar pelas coisas com o *check-list* das ideias perfeitas na mão, para checar se finalmente estão de acordo, a sabedoria de que estamos falando propõe encontrar o mundo, alinhar-se e reconciliar-se com ele. Para poder amá-lo.

O mundo é amável porque é. E amar o mundo como ele é, com tudo que tem dentro, é condição de uma vida boa, harmoniosa e

A FELICIDADE É INÚTIL

feliz. Vale a pena aqui insistir: o amor é pelo mundo com tudo que tem dentro.

Talvez por isso, nesse caso, amar só um pouco mais não baste. Porque se começarmos a separar o joio do trigo, o amável do odiável, o que presta do que não presta, recairemos, sem perceber e aos poucos, no lamento e na esperança.

— Falando assim parece fácil. Mas nem imagino como seria viver assim.

Fácil? Nunca. Amar o mundo como ele é exigiria amar a morte do filho, a dor no próprio corpo, as catástrofes climáticas que aniquilam e destroem, as guerras. Exigiria amar também a discriminação, o racismo, a xenofobia, o desrespeito. Amar o ódio. E, por que não, o ódio de que somos vítimas.

Haja sabedoria!

É certo que aceitar a própria finitude, o fim da vida em qualquer tempo e lugar, é condição

Clóvis de Barros Filho

de uma existência mais tranquila. Afinal, morreremos mesmo.

– Sempre achei que a própria morte, ou o medo dela, não é o maior problema. Mais dolorosa é a morte daqueles que amamos.

Ora, a aceitação da finitude da vida de quem quer que seja nos pouparia de dores devastadoras. Como a de sobreviver a um filho. Afinal, o amor tem por objeto a vida. Isto é, o fluxo, o trânsito, o deixar de ser. Do nascimento à cova. Em todos os momentos. Amor pela finitude, portanto.

Se entendêssemos que a vida valeu pelos dias vividos e não por uma expectativa de um número padrão de anos a cumprir, urdida na frieza empafiada das estatísticas geriátricas, nos revoltaríamos menos com o passamento de uma criança.

A FELICIDADE É INÚTIL

E aqui, *E o vento levou* veio à mente. Sim. O livro. O filme. Melanie. Mais precisamente, Olivia de Havilland.

A trama dança em torno do coração indeciso de Scarlett. Dividida entre Ashley Wilkes, casado com Melanie, e o pragmático e charmoso Rhett Butler.

Numa das mais devastadoras cenas do épico, Rhett tranca-se no quarto com o cadáver da filha do casal. Morta aos 7 anos num acidente.

– Ela odeia o escuro! Brada. Recusando-se a entregar o corpo da menina ao sepultamento.

É a resignada Melanie quem convence o pai desesperado a aceitar o inevitável. Na sua inabalável serenidade, faz contraponto à inconformada Scarlett. Que vai de frívola a empedernida, sem jamais sucumbir ao seu destino.

Somos todos passionais. Mas alguns de nós parecem lograr algum recuo. Distância que assegura certa sabedoria. Não fora assim, estaríamos no turbilhão. O tempo todo.

A energia que nos anima, a potência que nos movimenta, essa sobe e desce. Se agiganta e se acanha. Indicando mais ou menos vida. Nossos afetos são interpretações dadas pelo nosso corpo e nossa alma a respeito do que vai acontecendo com eles.

Como a dor. Que traduz para nós a ruptura óssea. A alegria. Que escancara o bem que o mundo nos fez. E a tristeza. Que alerta para o apequenamento que acabamos de sofrer.

Em encontros alegradores, o mundo encontrado, em relação com nosso corpo e nossa alma, determina em nós uma mudança, uma transformação, muito boa. Um ganho de potência. De tesão. De energia vital. De vida, em suma. Esse ganho é a própria alegria.

Já a tristeza é o contrário. Tão recorrente e conhecida que não merece mais linhas.

A FELICIDADE É INÚTIL

— Tudo de bom a alegria. Deveríamos estar preparados para saber reconhecê-la com mais frequência. Saber diagnosticar quando acontece. Teríamos, assim, mais consciência das coisas boas da vida. Mas e o amor?

Ora, diante do que expusemos, a cama está preparada. É só deitar. E aceitar extasiado que haja afeto de amor por tudo que no mundo nos alegra. Da pamonha à caminhonete nova. Do beijo inesperado ao gol no último minuto.

— Então, alegria e amor são a mesma coisa?

Não. O amor é uma alegria especial. Um tipo fino de alegria. Aquela cuja causa você sabe bem qual é. Amor é alegria que vem de braços dados com a ideia da sua causa. É ganho de potência misturado com a lucidez a respeito do mundo por ele responsável.

Como o amor por uma ação. Deliberada por alguém que não conhecemos. E da qual não fomos beneficiários. Mas que, ainda assim, nos

Clóvis de Barros Filho

alegra. Porque dignifica o homem. Iluminando um pequeno suplemento de alma do qual cada um pode se servir se quiser.

Professor Cortella relata, em suas magistrais palestras, o desfecho de uma maratona. O corredor espanhol se aproximava do fim da prova. Vinha em segundo. O queniano liderava desde a partida. Porém, na hora de cruzar a linha de chegada, equivocou-se. E parou de correr um pouco antes. O espanhol se dá conta do erro. E empurra o adversário para a vitória. Recusando-se a tirar vantagem. Conservando sua segunda colocação.

Não há como não se sentir bem face a semelhante decisão. Um tipo de orgulho por fazer parte do mesmo time. Integrar a mesma espécie. Conviver no mesmo mundo. Orgulho de ser humano. Por uma vez.

– E o ódio?

A FELICIDADE É INÚTIL

Ora. O ódio é sempre pelo que entristece. E nos aproxima da morte. Fazendo-nos deixar de ser, ainda que aos poucos, na suprema das agressões. O ódio, como o amor, também requer alguma consciência da sua causa. Não basta brochar. É preciso saber por quê. Supor quem foi o responsável.

Certamente, ao longo da vida, determinamos a tristeza de muitos. E esses, ao nos identificar como causa de seus afetos, nos odiaram. Não há que condenar sentimentos. Não resultam de uma deliberação moral. As forças da natureza são as que são. Energias de corpos que se encontram, que se chocam. Na inexorabilidade de suas intensidades, de suas direções e de seus encontros.

Já as formas de manifestação desse ódio, na hora de interagir, essas sim. Certamente merecerão tratamento da vontade. Da razão que modula a vida. Por isso, o ódio, quando

Clóvis de Barros Filho

manifesto, vira questão moral, ética e até jurídica.

Entre todo sentimento e sua manifestação no mundo há uma brecha. Sulcando a autenticidade crua. Suficiente para alguma sabedoria de última hora. Que, por vezes, evita grandes desastres.

CAPÍTULO 6
No toque, a ânsia do deslizamento

FELICIDADE TEM A VER COM SATISFAÇÃO.

E se a felicidade correspondesse à satisfação ininterrupta de desejos? Todos eles, quem sabe. A maioria, ao menos. Passar a ter o que antes se desejava ter. Conseguir fazer o que antes era *performance* sonhada. A ser, ou a ser considerado, o que antes era reconhecimento alheio, fama do outro. A gozar o prazer que antes nunca passou de fantasia.

Felicidade e satisfação absoluta

Você, leitor ou leitora, lê, relê... E finalmente se manifesta.

Clóvis de Barros Filho

— Se felicidade for mesmo só isso, satisfação de desejos, então acho que tem que ser de tudo que for desejado. Satisfação absoluta. Porque se ficar alguma coisa pra trás, haverá frustração. Tristeza. Nesse caso, o mundo desejado na imaginação continuará fazendo falta. Abalando a vida feliz.

O objeto do desejo pode até sair da cabeça. Abandonar a consciência. Ser substituído por outra coisa. Outro desejo, talvez. Mas não por isso desaparece. De onde estiver, continuará amargando a vida. Então, ou é satisfação de tudo ou não funciona.

Vejo que você só aceita falar de felicidade se houver plenitude. Nada de mais ou menos. Nem de gradação ou escala. Beleza. Mas se formos carimbando, o tempo todo, na realidade vivida, o que antes era imaginação desejada, não há como negar. Somos felizes, uai!

A FELICIDADE É INÚTIL

Felicidade imediata

Você retoma. Não se deixa mais levar no bico tão fácil.

— Não é possível o que você propõe! Desejamos o tempo todo. Desejos os mais variados. Um atrás do outro. Mesmo que fôssemos satisfazendo um a um, essa incansável perseguição não parece ter cara de feliz. Faz mais pensar em desespero. Em aflição. Nesse intervalo perturbado de tempo entre o surgimento do desejo e sua hipotética satisfação.

Verdade. Você fala da vida vivida entre o surgimento do desejo na mente e a sua satisfação no mundo. De fato há um Delta T. Um intervalo para mobilização de recursos. Estratégias. Mas nada de posse. Contato. Incorporação. Prazer.

Talvez, então, a felicidade exigisse uma satisfação rápida. Transformação de mundo, a mais eficiente possível, alinhando-o à imaginação.

Clóvis de Barros Filho

— Satisfação rápida, você disse. Acho pouco. Tem que ser na hora. A felicidade exige satisfação imediata e radical de todos os desejos. Se isso não acontecer, a vida será sempre infeliz. Acho que infelicidade é tudo que, na vida, não coincide com felicidade plena.

E se desejarmos mais de uma coisa ao mesmo tempo?

— Pois, nesse caso, que seja tudo satisfeito também ao mesmo tempo. Imediatamente. O resto é o que já temos. Vida meia-boca. Pela metade. E olhe lá. Frustração que não acaba mais.

Satisfação impossível

Querido leitor. Tudo que você pondera denuncia uma impossibilidade.

De fato. Parecemos verdadeiras máquinas de desejo. No caos dos fluxos vitais. De energias descontroladas. Que não resultam de nossa

A FELICIDADE É INÚTIL

vontade. Que se impõem sem nada respeitar. Numa cadência sem nenhum ritmo. Numa sequência sem ordem ou lógica. Fazendo-nos, sem trégua, imaginar o que faz falta.

Haja mundo a desejar para tanta energia desejante. Como você sugere, não tem muito cara de felicidade todo esse turbilhão.

A satisfação eventual de certos desejos já carrega consigo outros novos a satisfazer. Como a pipoca salgada. Que satisfaz, mas dá sede. E exige guaraná. O abraço que acalenta. Mas sugere o beijo. O colar lindo que brilha. Mas cobra o brinco que acompanha.

E a carícia. Que é muito mais do que toque. Porque este, ao mesmo tempo que satisfaz, desperta um novo desejo. O deslizamento. Como a invasão que alarga, mas espera pelo preenchimento. E este, que garante tangência boa de mucosas, mas já sugere retirada. Respiro. E nova invasão.

Clóvis de Barros Filho

Com sofrimento e tudo

Nessa balada não há saciedade possível. E a felicidade parece escorrer pelos dedos. Aqui, o nome de Casanova salta ao espírito. Nasceu em Veneza em 1720. Viveu até perto dos 80 anos. Deixou memórias em que se apresenta como um grande conquistador.

Com um detalhe: na contramão de um D. Juan vulgar, apaixona-se por uma a uma das mulheres seduzidas. Sem resvalar na canalhice. No entanto, no mesmo instante em que as seduz, afasta-se delas. Em total desinteresse. Paixão febril seguida de indiferença. Afetos que eram aqueles. Porque eram. Dos quais não passava de vítima. Restou-lhe o desabafo:

— Eu a amava mais do que a mim. Depois de tê-la, porém, passei a amar a mim mais do que a ela.

Seguindo essa linha meio ácida de reflexão, poderíamos ir mais longe. Aquele vínculo

A FELICIDADE É INÚTIL

inicial entre felicidade e satisfação ininterrupta de desejos pode sofrer outro duro golpe: nada impede que as coisas desejadas na mente requeiram iniciativas contraditórias entre si. Excludentes mesmo.

Assim, o que precisamos fazer para sentir por muito tempo o prazer do gosto do chocolate na boca? Eis um desejo legítimo. Supercomum entre todos os aficionados na iguaria. Quem sabe degustar generosas fatias de bolo.

Suponhamos que esse mesmo glutão deseje, o que também é muito legítimo, a redução drástica de seus índices de gordura corporal. De maneira a colocar em evidência seus músculos.

O desejo também pode ser de repouso. Um domingo na cama só comendo. E lá se foi, gordura abaixo, o tanque do seu abdômen. E se for de enriquecimento, de dinheiro na conta, de poupança gorda, talvez os carros e hotéis de luxo não contribuam muito.

Se a tal felicidade estiver vinculada à satisfação simultânea de tudo que desejamos, estaremos irremediavelmente condenados a uma vida infeliz.

Por isso, toda tentativa de definir felicidade fundada na anulação absoluta de sofrimento é absurda.

Afinal, a primeira é atributo de alguma vida, ou de alguns de seus instantes, enquanto o segundo lhe é inerente. Portanto, por mais estranho que possa parecer, se tivermos de aceitar a positividade de uma vida feliz terá que ser com sofrimento e tudo.

Fica registrada assim a nossa proposta. Na contramão rigorosa do sugerido no início deste capítulo. Segundo o qual bastaria ir satisfazendo todos os desejos para ser irremediavelmente feliz.

A FELICIDADE É INÚTIL

Não desejar. Quem sabe?

Talvez possamos tentar salvar esse vínculo tão tentador entre desejos e felicidade. Não mais pela satisfação dos primeiros. Por tudo que vimos, se dependermos disso para sermos felizes, o risco de dar ruim é significativo.

— Uai. Mas sem satisfazer os desejos, vejo mal como chegar a uma vida feliz.

Ora. Se o problema é ficar com a batata quente do desejo na mão sem saber o que fazer com ela, por que não desejar menos? Desejar pouco? Desejar o simples? Ou pra você, que gosta de tudo no limite último, não desejar e ponto? De jeito nenhum. Absolutamente nada.

Haverá como interceder de onde estamos — numa consciência entulhada de mundos percebidos, de valores, de estratégias — sobre os desejos? Haverá educação para isso? Treinamento? Meditação? Lições de desapego? Será

Clóvis de Barros Filho

preciso algum retiro? Isolamento? Formação espiritual adequada?

Bem. Ainda é tempo de olhar aí na livraria. Ou no site onde você costuma comprar seus livros. Suponho que meus colegas autores possam te ajudar muito mais do que eu.

CAPÍTULO 7
Diminuindo o estrago de ter nascido

FELICIDADE TEM A VER COM SOFRER O MENOS POSSÍVEL.

Um pensador me encanta. Entre muitos outros, é claro. Não que conheça bem suas ideias. Tampouco quaisquer outras. Já vivi o suficiente para ter a singular certeza de não conhecer bem coisa alguma. De não saber quase nada sobre quase tudo. Insisto: "quase" nada e "quase" tudo. Porque se afirmasse não conhecer "nada" sobre "tudo", estaria a caminho da sabedoria. Hipótese mais do que descabida.

Clóvis de Barros Filho

Toda essa destacada ignorância, no entanto, não impede o encantamento.

Quanto ao pensador que me encanta, refiro-me a Schopenhauer.

Tido pelos iniciados em filosofia como o mais pessimista de todos. Nada mal. Troféu supercobiçado. Afinal, nessa categoria, o alemão compete com muita gente que não faz outra coisa senão desconfiar das coisas boas da vida. De fato, para merecer tal pecha, foi preciso enunciar afirmações bem amargas. Dignas de um *Guinness* da tristeza.

Entre o ruim e o ruim oposto

Como a redução da vida a um pêndulo. Que, como todo pêndulo, passa de um ponto ao seu oposto extremo e regressa à origem. Alguns relógios de parede ainda funcionam assim. Para Schopenhauer, a vida de cada um de nós pode ser representada dessa forma. Pendular.

A FELICIDADE É INÚTIL

E os dois pontos extremos entre os quais o pêndulo da vida se desloca são velhos conhecidos nossos: a frustração e o enfado.

— Eita!!! Mas aí deu ruim de vez! Não é possível.

Sim. Isso mesmo. Você entendeu bem. Frustração e enfado. Se você esperava por dois polos opostos, tipo um do bem e outro do mal, um alegre e outro triste, um esperançoso e outro temerário, errou feio. Ainda não entrou na *vibe* pessimista.

Esse pêndulo de Schopenhauer fica indo e voltando, entre um ruim e outro ruim. Quase escrevi entre ruim e pior. Mas esse pior poderia conferir ao ruim um colorido. Certo refresco. Alguma positividade. E não é o caso.

Por essa representação pendular da vida, você pode escolher entre se dar mal lambendo a vitrine do que não pode comprar ou no entulho asfixiante de tudo que já comprou na vida e não

Clóvis de Barros Filho

deseja mais. Entre naufragar em mar revolto e gélido à noite ou passar a vida sonhando em ver o mar sem nunca poder encontrá-lo. Entre a solidão de amar por toda a vida quem nunca te quis ou compartilhar um quarto e sala com alguém cuja presença, a cada gesto, a cada palavra, entedia, aborrece e irrita.

Farol de festa para a amada

Faz lembrar J. Gatsby. O trágico personagem de Scott Fitzgerald que dá título a uma das suas mais célebres obras, publicada em 1922. A saga desse contrabandista não foge à proposta asfixiante de Schopenhauer para a vida.

Gatsby é um milionário que vive em Nova York. Sozinho e de hábitos misteriosos, o figurão promove, todos os dias, as maiores festas da cidade. Espetáculos suntuosos que mobilizam um arsenal de serviçais, bebidas, luzes. Na lista de convidados cabem todos. Traficantes,

A FELICIDADE É INÚTIL

socialites, pobretões. Os carros chegam aos montes, amontoando-se às portas da mansão.

Uma curiosidade. Em meio a essa ode de luxo e desperdício, os holofotes da atenção de todos denunciam diariamente uma ausência. A do anfitrião. Que jamais aparece. Nenhum convidado jamais viu "The Great Gatsby".

– Eita. E pra que tudo isso?

Todo esse circo, montado todos os dias em padrões extravagantes, serve a apenas um objetivo: do outro lado da ilha vive Daisy, a amada de toda a vida. Que lhe fora tomada na juventude por um banqueiro rude e sem escrúpulos. James, na época um soldado do exército americano, roto, não poderia se unir à moça, de família tradicional.

Agora, rico, fazia de suas festas um farol para sua querida. Milhares de dólares mobilizados todas as noites, unicamente para chamar a atenção de Daisy. Com quem, claro, ele

Clóvis de Barros Filho

jamais consegue ficar. Morre assassinado em sua piscina, sozinho, enquanto aguardava por uma ligação da amada, que nunca veio.

Sob a massa aparente, crítica severa à loucura econômica e ao niilismo cultural de uma sociedade americana embriagada no pós-guerra, uma terrível constatação: não há de fato para onde correr. Nem todos os dólares do mundo garantiram felicidade ao pobre Gatsby. Salvo da pobreza, mas escravizado pelas contingências. Obrigado a viver longe da mulher que amava, enquanto construía para ela um castelo inabitado.

– Mas isso é uma vida desgraçada. Não tem pra onde correr. Não sei como você pode ter admiração por um urubulino desses.

Uai. Cada um sabe onde o próprio calo aperta. E acaba achando no mundo os pensamentos mais alinhados. E veja. Schopenhauer não está se referindo apenas aos parentes das vítimas de uma grande catástrofe ambiental, ou de violência física cotidiana, aos particularmente excluídos e humilhados pelos entornos sociais a que poderiam pertencer, aos condenados ao encarceramento perpétuo.

A eles também. Claro.

Buraco mais embaixo

Na reflexão que propõe, a vida teria problemas, digamos, fundamentais. Que a tornam pesada independentemente do que vai acontecendo com quem a vive. Um pouco mais de sorte aqui ou de azar acolá, acolhimentos ou agressões excepcionais não mudam muita coisa. Sendo vida, o buraco é mais embaixo. Haverá dor e sofrimento.

— Mas isso em qualquer caso? Para qualquer pessoa? Por mais idílico que seja o cenário? E favoráveis as condições do entorno? Há quem tenha nascido cercado de zelo e vivido sem

Clóvis de Barros Filho

nenhuma preocupação grave. Como também há lugares com muita qualidade de vida!

Qualidade de vida é padrão genérico de existência. Reunião de critérios ditos objetivos e inventados pelo homem. Ninguém vive essa tal qualidade de vida. Não existe no mundo enquanto tal. É só uma referência. O que há é vida. E o que poderia haver na carne, osso e alma de cada um de nós é vida de qualidade. Coisa bem diferente.

Quanto aos bem-nascidos, não pense que a vida esteja ganha, de verdade. Primeiro, porque, já tendo muita coisa e podendo ter muito fácil o que venham a querer ter, o dia a dia pode ficar um pouco sem graça.

Sei que os carentes e desprovidos de quase tudo jamais estarão de acordo com Schopenhauer. Na condição em que se encontram, adorariam ter tudo à mão. A tal vida sem graça,

A FELICIDADE É INÚTIL

essa mesma de não ter que ir atrás de nada, lhes soa como uma grande frescura.

Além do tédio acima, a vida afetiva dos abastados pode ser atravessada, do começo ao fim, por um medo muito fácil de identificar. Que como todo medo, azeda a vida. O de perder o que tem. A falta imaginada de tudo que hoje é presença. Medo que os torna resistentes a toda mudança. Apegados ao *status quo*. Obcecados pela conservação.

Sem falar da perda efetiva. Inerentes à circulação das riquezas. À impermanência do valioso. À liquefação do sólido. À evaporação do líquido. Da sensação de subtração. Da dramática constatação de escapar pelos dedos. E do despreparo. Para viver sem ter a propriedade e a posse de outrora.

– Quer dizer que todos aqueles – que, olhando de longe, parecem estar de boa

Clóvis de Barros Filho

— também estão sofrendo? Como os mais lascados na vida?

Mais ou menos isso. Claro que os sofrimentos são tão variados quanto infinitamente únicas são as células sofredoras. Bem como as almas inquietas, com seus temores e esperanças. Lançados corpo e alma em mundos ineditamente percebidos. E dramaticamente versáteis para agredir.

Mas a palavra é uma só. Sofrimento. Quatro sílabas singelas. Um único vocábulo. Responsável por permitir algum entendimento sobre sensações tão ricamente incomparáveis. Pobres palavras. Tão poucas para dar conta da infinita complexidade do mundo.

— Acho que o mesmo acontece com a palavra Felicidade. Cinco sílabas para tentar passar uma ideia tão cheia de nuances. Fica complicado comunicar assim. Eu mesmo, comprei esse livro com felicidade no título.

Admita. Eu tentei avisar. Desde a primeira linha. Você pegou na estante e foi indo pro caixa. Sem nem dar uma xeretada. Agora que já fez a besteira, senta aí, engole o choro e continua lendo. Não se deixa comida no prato. Nem páginas já pagas por ler.

Atalho perdido

Como sentenciou o sábio Sileno, na mitologia de tempos lá de trás, "o melhor mesmo seria não ter nascido". Como vê, esse Sileno, se tivesse existido, teria sido um bom concorrente pessimista para Schopenhauer.

Não vem muito ao caso quem é esse sábio. Mas, para você não ficar no vácuo, uma palavrinha. Trata-se de um protegido do poderoso deus Dionísio. O Baco dos romanos.

Mas nem mesmo esse divino apadrinhamento conseguiu adoçar seu entendimento da vida. Ah! Ia esquecendo uma curiosidade. Não

Clóvis de Barros Filho

recusava uma balada. E andava sempre bêbado. Sei que parece contraditório: um fanfarrão tão desgostoso. Um baladeiro desagradado. Mas deixemos as narrativas sobre Sileno pra lá.

Importa-nos aqui a frase a ele atribuída. Se o melhor mesmo seria não ter nascido, a única saída indolor da estrada da vida já passou faz tempo. E olha que tudo parecia armado. Para cair fora antes mesmo de começar. Os números favoreciam. As estatísticas garantiam. As probabilidades denunciavam quase certeza. Tudo conspirava contra.

– Como assim? Não entendi. Probabilidade de quê?

Zilhões de espermatozoides. Em disputa para chegar em primeiro. Só um vitorioso. Você, acoplado numa dessas ogivas. Alguns queimam a largada, mas disparam sem força. As chances de fracasso são as maiores da história de cada um. Superam, de longe, as de uma partida de basquete jogada a sério pelo time do colégio contra a seleção da NBA.

E você, justo na hora que mais valia perder, na derrota que evitaria todas as outras, acabou ganhando.

Sei que não tinha mesmo jeito. Afinal, tudo isso rolou muito antes de você poder intervir. Quando se deu por achado, o atalho para a eternidade — sem nenhuma existência — já ia longe. A próxima saída pode demorar muito. Quando chegar, já teremos rodado um bocado. E apanhado demais da conta.

Sim. É isso mesmo. Para Sileno, toda vida vivida será sempre demais. Seja quanto for a sua duração. Nessa estrada, cada mísero quilômetro percorrido já é excessivo. Um único dia deveria ter sido evitado. Uma hora que seja já trucida. Em um minuto, o seu mundo pode cair. Um segundo para perder o chão. Dar ruim num piscar de olhos. Basta estar para descarrilhar.

Clóvis de Barros Filho

Fim do parêntese sobre Sileno. Fim do capítulo. Para que você não decida bater tão cedo o livro na minha cara.

CAPÍTULO 8

Locomotiva na farmácia

FELICIDADE TEM A VER COM INSTANTES DE VIDA QUE VALEM POR ELES MESMOS.

Hipnotizado pelo pêndulo, o leitor luta para retomar o senso. O bom senso de sempre.
— Mas o que há de tão fundamentalmente ruim nisto que chamamos de vida? Digo, para além dos encontros tristes, dos azares de circunstância, das rupturas ocasionais de expectativa. E de tudo mais que, às vezes, vem salpicado de boas notícias, surpresas que alegram, instantes ternos, colos, afagos e chamegos que confortam no dia a dia da vida?

Para Schopenhauer, duas coisas: o divertimento e o enfado.

— Nossa! O enfado vá lá. Sensação que não participa mesmo de momentos bons. Mas o divertimento? Parece estranho. Eu, quando me divirto de verdade, não acho nada ruim. Só lamento mesmo quando acaba. O que será que ele entende por divertimento? O que pode ter de tão ruim?

Ora, você só faz essa pergunta porque desconfia que para um filósofo o significado da palavra pode não corresponder ao mais corriqueiro. Costuma até não coincidir mesmo.

— Acho que todos os leitores compartilham certo significado da palavra divertimento. Na quarta você liga a TV e vê um joguinho. Tem balada na sexta. Lê um romance. Pega um cineminha no sábado. Janta com um casal de amigos. Vai com a galera pra praia. Faz uma viagem por Portugal. Tá demais mesmo Portugal. O mundo inteiro parece se mudar pra lá.

Viu? Estamos de acordo sobre o que pode ser uma vida divertida. Pronto. Mesmo que você não curta muito algumas das atividades acima, ou até mesmo nenhuma delas, aceita que o significado de divertimento está bastante bem identificado.

– E onde está o problema? Só falamos de coisa boa. Isto é, de situações entendidas como agradáveis por muita gente. E mesmo para os que não são muito a fim de jogo, baladas, romances ou Portugal, nada disso trará desespero, ou angústia. Tampouco fará pensar em abreviar a própria existência. Nem perto disso. Difícil de entender por que seu amigo pessimista, na hora de falar do pior da vida, comece justamente por aí. Não estou a perceber!!

Bem, vamos deixar o alemão se explicar. Só então veremos por que tira daí essas conclusões

Clóvis de Barros Filho

tão nefastas. Para falar de divertimento, ele começa com alguém desejando alguma coisa.

Felicidade e saco vazio

Você, por exemplo. Deseja um Audi. Carro alemão, nada barato. Que tem fama de avançar rápido. Tecnologia avançada. Deseja o que não tem. Porque é sempre assim. Por ora, você não é dono de nenhum Audi.

Algum tempo depois, consegue comprar um. Sorte sua. A felicidade chegou. Nada como comprar e dispor daquilo que você tanto queria. Assim pensaria quase todo mundo.

No entanto, o tal do Audi, desde que se tornou seu, você não deseja mais. E não é porque tenha se decepcionado. Tido dor de cabeça. Manutenção cara. Ou não tenha proporcionado a sensação – em velocidade – que você imaginava.

Você não deseja mais porque ele é seu. Não há como desejar o que se tem. Desde o

A FELICIDADE É INÚTIL

Banquete de Platão sabemos disso. A fala de Sócrates no tal jantar é conhecida. O desejo é na falta. Só pelo que falta. Pelo que faz falta.

Mas não faça essa cara. O desejo pelo Audi morreu, é verdade. Aniquilado pela compra. Mas podem surgir outros relacionados. Sempre fica faltando algum acessório. Raras engenhocas que não vieram de fábrica. Turbinar o motor, sei lá. Deixar no jeito. Mais potente ainda. Rodas esportivas. Banco de couro *vintage*. Qualquer coisa que você gostaria que tivesse no carro, mas ainda não tem. Todos esses novos desejos só vieram ao mundo com a morte do desejo pelo carro.

O divertimento, para Schopenhauer, é essa dança. O ritmo é marcado. Um, dois mais curto (quase imperceptível) e três. Um pouco como no bolero. Desejar (1), saciar (2), voltar a desejar (3). Os floreios são básicos. Constrangidos

Clóvis de Barros Filho

pelo ritmo: não ter, sentir falta e ir atrás, para ter. E então passar a desejar outra coisa.

Como você pode supor, tudo isso não funciona só com veículos alemães. Passamos a vida nos divertindo. Vale para imóveis, viagens, títulos escolares, conquistas amorosas, troféus profissionais e muito mais.

Dessa forma, todo divertimento teria então quatro fases: desejar o que não se tem, conseguir o que se deseja, deixar de desejar o que se desejava e passar a desejar outra coisa que, neste instante, ainda faz falta.

Assim, como exemplo, você tem sede. O que corresponde a ter desejo por líquido. Bebe água e se sacia: fim do desejo. Em sequência previsível, surge o desejo de fazer xixi. Você acelera em direção ao WC indicado. Livra-se da roupa impeditiva e em frente ao vaso ou sentada nele se alivia.

A FELICIDADE É INÚTIL

E assim vamos. Desejando o que não temos, buscando a saciedade e matando assim os desejos anteriores que promovem o surgimento de novos desejos.

Esse divertimento de Schopenhauer faz pensar também num saco sem fundo. Minha mãe, dona Nilza, usava essa expressão, referindo-se a mim. Em especial na hora das refeições. Schopenhauer teria saído em minha defesa. Não é um problema propriamente meu.

A saciedade é impossível. Sempre haverá falta. E a sua eventual eliminação – pela presença – nos remete a outras tantas. Fazendo desejar. Correndo atrás do próprio rabo, sem nenhuma consciência disso. Difícil associar tudo isso à vida feliz. Temos que concordar.

Felicidade e saco cheio

O segundo problema da vida é o tédio ou enfado. Como você disse, aqui fica mais fácil vislumbrar o fundamento de uma vida ruim.

O enfado é um afeto que parece durar. Marcado pela continuidade aparente. Afeto negativo, inscrito em condições materiais que parecem se manter. Portanto, suportável por algum tempo. Muito tempo até.

Assim, ninguém tem um pico lancinante de enfado em frações de segundo. Como na dor de uma queimadura na cara, produzida por leite condensado que espirra da lata recém-furada, depois de longo cozimento em panela de pressão.

– Mas quais são essas condições, as do enfado?

Bem. Sentimos enfado quando a vida se vê aprisionada numa rede de utilidades.

– Não entendi. Boiei placidamente.

Gostei da expressão. Boiar. Para não conseguir atribuir significado satisfatório. Um não mergulho no entendimento. Que teria permitido alcançar algum sentido.

A FELICIDADE É INÚTIL

Falávamos de enfado e de utilidades. O útil, no senso comum de toda a vida, é adjetivo ou atributo que sempre veio na cola de alguma coisa boa. Algo ou alguém com valor positivo; já o inútil, claro, como uma coisa ruim, de valor negativo.

Curioso. Essa palavra inútil também me remete à infância.

No entanto, observe bem: quando uma coisa é útil, o seu valor está fora dela. Depende da existência de outra coisa para poder sê-lo. Assim, o colírio é útil porque limpa os olhos. O que garante o valor do colírio são os olhos limpos. Num mundo sem olhos, todo colírio terá perdido o valor.

Como o valor do livro no deleite espiritual do leitor. O valor do copo no líquido aprisionado para poder ser sorvido. O valor da broca na cárie exterminada. Tudo o que é útil tem

Clóvis de Barros Filho

valor fora de si. Depende do que lhe é exterior para ter algum valor.

Ao longo da vida, além de **coisas** úteis, há também projetos. Reunião orquestrada de atividades. Úteis para alcançar um fim. Assim, o ensino fundamental é útil para chegar ao ensino médio. Além de ser sua condição. O valor do fundamental está vinculado ao médio. Como o valor do médio está vinculado à faculdade. E o valor desta última, bem como do estágio, ao eventual emprego. E assim por diante.

Mais tarde começamos a esperar pela aposentadoria. Num lugar pacato. Onde nada acontece.

Chega uma hora que você se enche e pergunta:

— Mas, então, quando é que um momento da vida vai valer por si mesmo? Digo, o valor do ensino médio pelo que aconteceu ao longo da sua duração. Com o gozo do aprendizado, da socialização, das experiências amorosas. Se tudo for sempre uma preparação, um ensaio ou treinamento para o que está por vir, quando é que a vida vai rolar pra valer?

Uai. Enquanto estivermos enredados nessa teia da utilidade, nunca. Pra valer por si mesmo, será preciso mandar tudo às favas. Ter a coragem de assumir a inutilidade. E suas consequências também. Abrimos aqui parênteses de graça e frescor.

Mozart entre grades

Como Andy Dufresne, em *Um Sonho de Liberdade*. Condenado injustamente à prisão perpétua pelo assassinato da mulher e seu amante. Torna-se personagem antológica do obscuro presídio de Shawshank, ao desafiar as rígidas regras da penitenciária.

Num desses episódios de coragem, oferece a seus companheiros um momento raro:

Clóvis de Barros Filho

tranca-se na sala da diretoria. De posse do microfone, que aos alto-falantes só serviam à mais ríspida e severa comunicação diária de tarefas, faz soar uma peça de Mozart.

Disco e aparelho de som, ambos furtados do diretor, por um breve instante, devolvem àqueles homens combalidos, impregnados de rudeza, a humanidade perdida.

Esse reencontro com o sublime custou a Dufresne uma semana de castigos na solitária. Mas cristalizou, na alma de todos os envolvidos, a memória de um gesto gratuito. Inútil. Corajoso. De bater no peito e afirmar pra quem quiser ouvir: não serve mais pra o que tinha que servir. Por isso que é legal.

Em *Um Sonho de Liberdade*, adaptação para o cinema do romance homônimo de Stephen King, Andy Dufresne encontra-se, por um instante, com a inutilidade feliz. Parêntese fechado.

A FELICIDADE É INÚTIL

Só o inútil tira a vida da banalidade.

Uma locomotiva, parada na estação, sobre os trilhos, seguida de vagões, jaz inerte ante a desatenção de todos. Seguirá seu rumo sem merecer relato ou narrativa na história de ninguém. Um tédio entupido de obviedade.

O mesmo não passará se alguém conseguir deixá-la no interior de uma farmácia. Ou num supermercado. Na zona de alimentação de um *shopping center*. Ou no *hall* de entrada de um hospital.

— A nossa felicidade poderia ter a ver com isso?

Claro que sim. Cursar o ensino médio para ter êxito no vestibular corresponde à locomotiva na estação. Tanto quanto estagiar visando a carteira assinada. O MBA de olho na promoção. Tudo na mais estrita funcionalidade.

— Já entendi o enfado como consequência da utilidade. Você explicando assim, dá até

Clóvis de Barros Filho

raiva. Mas como fazer para tirar a vida dos trilhos da estação e levar a locomotiva para tomar sol na praia?

Inútil espirocado

Não é nada fácil. Tudo conspira contra. Você pode até estar focado. Disposto a não se deixar levar. Mas essa coisa da utilidade envolve muita gente. Quase todo mundo. Ao menor vacilo, você já está com sua locomotiva na estação. Alertado, por quem aparecer pela frente, dos riscos de não útil. De não fazer advir o que é tido por todos como muito importante.

Mas, se você insistir, a escola primária teria que valer por ela mesma. Pela vida escolar. Pelo que acontece ali dentro. Aula a aula. Dia a dia. Nada de cursar o primeiro ano para passar ao segundo. Muito menos de aprender bem equações do primeiro grau para não ter dificuldades com as do segundo grau.

A FELICIDADE É INÚTIL

A beleza do que está sendo ensinado se esgota ali. A delícia de ler os clássicos gregos confere todo o valor daquela leitura. Com desdém para a sua incidência nas avaliações futuras.

O valor do aprender, medido pela alegria do repertório alargado, em diálogo com o desconhecido, desdenha de toda empregabilidade. Conhecimento que dispensa toda aplicação vindoura.

O valor de pensar pelo deslumbre das inferências. Pela excitação das comparações. Pelo gáudio das analogias. O valor das relações entre os alunos. Cujo valor morre na camaradagem. Na cumplicidade. E sem *networking*.

Eu estudo japonês. Em especial, a escrita. Os Kanjis me encantam. Como passo muito tempo em aeronaves, dedico-me a escrever os ideogramas desde antes da decolagem. É muito frequente que me perguntem: você estuda

Clóvis de Barros Filho

japonês pra quê? Pretende morar no Japão? Vai trabalhar lá? Ou é só para passar o tempo?

– Pra nada. Eu estudo para nada. Estudo por estudar. No máximo em nome dos afetos que o próprio estudo me traz. Pelo deleite da descoberta. E ponto.

Portanto, se você um dia for chamado de inútil, não fique tão triste. A intenção de quem fala é provavelmente depreciativa. Mas sendo um legítimo inútil, um inútil da gema, não tem seu valor vinculado a mais nada. Pode valer por si mesmo. Soberanamente. Não se prostra, genuflexo, ante as contingências do mundo.

Viu? Inútil é assim. Como a própria felicidade.

Não há de ser tão ruim.

CAPÍTULO 9

Daqueles que ainda amam escola

FELICIDADE TEM A VER COM NÃO TENTAR *SER FELIZ*. PARA, QUEM SABE, CONSEGUIR *VIVER FELIZ*.

Você é feliz? – perguntam muitos. Responder sim ou não implica aceitar a premissa. A felicidade é um atributo do ser.

— Não entendi.

O importante é ser feliz

Uai. A pergunta não é "Você é feliz?"? Então. Esse verbo aí no meio. "É." Não é o presente do indicativo do infinitivo "ser"? Logo, quando

Clóvis de Barros Filho

perguntamos se alguém é isso ou aquilo, estamos investigando sobre o seu ser. Ou não?

— Claro. É que as formas conjugadas do verbo ser são tão empregadas, o tempo inteiro, que acabamos por não nos remeter mais ao ser substantivo. Isto é, ao que as coisas essencialmente são.

Exato. Quando alguém diz: eu *sou* incapaz de tomar essa decisão; *somos* todos, naquela empresa, vítimas da vaidade dos nossos chefes; meu genro é louco pela Anitta; os passageiros *serão* avisados a respeito do portão de embarque, e por aí vai.

Todas essas afirmações se servem do verbo ser conjugado. Mas nenhuma delas pretende dar conta do que seus sujeitos realmente são. Em essência. São indicações circunstanciais, ou acidentais. Que poderiam ser outras, ou mesmo suas contrárias, e não mudariam o ser dos envolvidos.

A FELICIDADE É INÚTIL

O uso do verbo ser deveria remeter exclusivamente ao que os seus sujeitos são. Com tudo que isso significa de essência, inerência, imanência, permanência etc. Daí decorre que nenhum ser – que é de verdade – pode estar à mercê do que vai acontecendo, dos encontros, das relações, das ocorrências, dos acidentes. Porque em todos esses casos haveria mudança. Transformação do ser. Isto é, deixar de ser.

– Não entendi.

Ora. Nada pode ser o que é e o seu contrário ao mesmo tempo. Ou ser em concomitância com algo incompatível. Um pão não pode ser, ao mesmo tempo, integral e não integral. Como uma bananeira não pode ser também mangueira.

Pois bem. Se alguém afirma ser feliz, não pode ser também infeliz. Nem por um segundo. Em nenhuma circunstância. Não importando o que suceda na vida. A infelicidade, ainda que

Clóvis de Barros Filho

episódica, de um ser feliz denuncia a negação desse ser. Assim, ninguém que é, feliz ou qualquer outra coisa, deixa de ser o que é, por nada desse mundo. Nem por um segundo.

Levando a sério tudo isso, concluímos que alguém que é feliz não poderia experimentar nem um fiapo de infelicidade em sua vida. Nem mesmo quando informado de que a própria casa pegou fogo. Com a família dentro. Morte do filho amado. Cônjuge, amor da vida, flagrado em adultério com o melhor amigo ou amiga. Derrota em final de campeonato para o maior rival. Demissão injusta depois de anos de dedicação e fidelidade canina.

O que alguém é, segue sendo. Seguirá sendo. Em todo tempo e espaço. Mesmo que todos esses infortúnios se abatam sobre a mesma pessoa. Ao mesmo tempo. Por mais que entristeça, doa, machuque, avilte, humilhe etc.

A FELICIDADE É INÚTIL

Viver feliz é o mais importante

— Acho que esse verbo ser está nos atrapalhando. Admito que "você é feliz?" talvez não seja uma boa pergunta. Proponho uma troca. Falemos de vida feliz. Sua vida é feliz?

Opa. Agora você inseriu a felicidade no mundo da vida. Legal. Mas para ter perguntado se a vida é feliz, suponho que tenha se dado conta de que trocou de sujeito, você por sua vida, mas manteve o famigerado verbo ser. Por tudo que já dissemos, suponho que esteja pensando numa avaliação de longo prazo. Tipo do nascimento até agora. Quem sabe até da maternidade à cova.

Certamente você não espera uma resposta alinhada com seu estado de espírito leve e harmônico desta manhã, profundamente afetado pelo ocorrido às 11h30.

— O que aconteceu às 11h30?

Clóvis de Barros Filho

Fui informado de que o comprador do meu apartamento, que estava há um ano e meio à venda, desistiu da compra. Na hora de assinar o contrato.

– Eita. Sempre ouvi em casa que não dá pra contar com o ovo... O que houve?

Ele se deu conta de que a vaga do carro fica distante do elevador. E para levar as compras, sabe como é.

– Nossa, que chato! E como tá difícil vender! Ele não tinha visto isso antes?

Tinha. Os 12 metros que separam a vaga do elevador tinham parecido bem razoáveis quando da primeira visita. Mas na hora de bater o martelo, na última vista d'olhos, achou melhor recuar. Afinal, sacos de supermercado pesam. Sem falar das malas, quando a viagem é longa.

A FELICIDADE É INÚTIL

Bem, voltando ao livro, não era no comprador sedentário que você estava pensando quando perguntou se minha vida é feliz.

— De fato, não. Pensava mesmo em alguma avaliação mais abrangente.

Ótimo. Então. Para que essa pergunta tenha pertinência, temos que atrelar a felicidade a algum critério bem claro. Que paire sobre as oscilações de humor do cotidiano. Que transcenda os afetos mais momentâneos. Algo que faça parte da vida desde sempre. E que seguirá fazendo. Como eventualmente a busca da excelência, da realização da própria natureza, a atualização no dia a dia de todas as potencialidades etc.

Perceba que também nesse caso a avaliação da vida como sendo feliz não considera as tristezas do dia a dia, as preocupações de curta e média duração, as dores do momento, as angústias de quem, por um instante, não sabe

Clóvis de Barros Filho

que rumo dar à vida, as traições, os medos, as vãs esperanças e tudo mais que nos chacoalha desde que procuramos os chinelos na beira da cama até o leite quente com mel pra ajudar no sono.

– Mas acho esquisito falar de felicidade sem levar em conta o que nos acontece no dia a dia. Abrindo mão das sensações que decorrem desses acontecimentos. Como não tomar conhecimento de um medo que nos aterrorizou por dias a fio? Mesmo que nada tenha efetivamente se produzido de devastador. E depois de algum tempo venhamos a rir daquela perturbação. Não aceito muito uma ideia de felicidade que não traga consigo tudo isso.

Desabafo mais que considerado. Até porque não é só coisa ruim que acontece. Como deixar de fora a alegria que senti quando fui informado, naquele janeiro de 1982, de que tinha entrado no Direito da USP? E, quase 20

A FELICIDADE É INÚTIL

anos depois, de que fora vitorioso em concurso para professor na mesma universidade?

— Pelo visto, na sua vida, felicidade e universidade caminharam de mãos dadas!

Sem dúvida. Constatação mais que pertinente no meu caso. Como estudante. Como docente. Iria mais longe. Ainda sou daqueles que amam escola. Se houve alguma felicidade na vida, foi aprendendo e ensinando. Sinto-me particularmente excluído por não flagrar o mesmo sentimento nos outros.

Por tudo isso, me junto a você com entusiasmo. Que a felicidade seja atributo da vida com tudo que dela fez e faz parte. Não de uma trajetória higienizada, pelo ideal dos seus projetos, tampouco pela memória seletiva e interessada das biografias.

— Eram três palavras e três problemas. Você, é e feliz. Vimos a dificuldade em ser feliz. Propusemos a vida feliz. Mas e o você?

Clóvis de Barros Filho

Bem lembrado. Pobre palavrinha. Tão asfixiada quanto o eu. Redução de vosmecê. Quatro letras pra dar conta de alguém que se encontra em frente. Como o tu, usado por muitos em nosso país.

Um tu que, neste instante, parou aqui na minha frente. Mas que não passou a existir agora, por minha causa. Para preencher esse lugar diante de mim. O tu já existia. Vinha vivendo. No mundo, sendo forjado na bigorna dos encontros. Deixando de ser a cada golpe. Como eu e você. Pobre tu. Rebaixado em duas letras. Pra dar conta de tanta vida. Melhor deixar você mesmo.

CAPÍTULO 10

Birutas de aeroporto e bolhas de sabão

FELICIDADE TEM A VER COM INSTANTES DE VIDA FELIZ.

Será a felicidade a mera justaposição de experiências boas? Será a seleção destas com a pinça da memória marota, que sabe bem deixar de fora o que entristeceu? Serão apenas as sensações vividas em cada um desses instantes? Será o desejo de que se repitam? Ou que simplesmente não cheguem ao fim?

Estará a felicidade no pretérito do vivido saudosista, no futuro do viver esperançoso ou

Clóvis de Barros Filho

na presença escapadiça, escorregadia, de quem, quando foi olhar, já não a encontrou mais?

– Como eu disse. Não vejo por que não ser um pouco de tudo.

Ora, se faz questão de incluir tudo, então arranje um jeito de somar todas essas experiências. E encontrar um resultado provisório único. Ou admita de uma vez que a sua felicidade faz lembrar birutas de aeroporto, redirecionadas a cada novo ventinho.

Ou, quem sabe, não tenha mais a ver, essa sua tal felicidade, com aquelas bolhas de sabão, que se desfazem antes mesmo da primeira encostadela, confeccionadas pelo assopro cuidadoso dos miúdos, no interior de arroelinhas baratas compradas na feira?

O importante é curtir o momento

A seu pedido, vamos encarar a felicidade dissecando a vida. Instante a instante. Fazendo

A FELICIDADE É INÚTIL

coro com todos que só enxergam vida feliz ali mesmo, no aqui e agora. Com características muito precisas, claro. Porque não é qualquer instante de vida que vai merecer a distinção de feliz. Não é mesmo.

De fato. Esses instantes da vida podem ser classificados de muitas formas. Segundo muitos critérios. E a felicidade, dependendo de quem se ponha sobre ela a pensar, encontrar-se-á vinculada a esse ou aquele tipo.

Assim, podemos classificar a vida de cada momento em função das características do mundo com o qual nos encontramos em relação: pessoas, coisas, paisagens, dinheiro, nosso eu interior etc. Ou em função do tipo de afeto que esses mundos determinam em nós: alegres, tristes, esperançosos, temerários etc.

— Provavelmente muitos autores reduzem a felicidade a afetos alegres.

Clóvis de Barros Filho

Certamente. Sobretudo os que não veem na vida nada além da somatória dos instantes vividos. A alegria – isto é, a potência em alta – se confundiria, nesse caso, com a própria felicidade.

Tempos da alma

Uma classificação fascinante tem como critério o tipo de atividade da alma dominante neste ou naquele instante de vida. Curiosamente, podemos chamá-la de classificação pelo tempo.

Assim, no primeiro tipo de instante, a alma se encontra ocupada em lembrar do que aconteceu. Em reconstruir o já vivido. Ativada em memória. Embora tenha o passado por objeto, a memória é produção no estrito presente. Onde toda a vida se encontra.

Em saudosa memória, é agora mesmo que me lembro da dona Nilza, minha mãe. As cenas que me vêm à mente foram vividas há tempos.

A FELICIDADE É INÚTIL

Mas a lembrança terna, ela mesma, essa me embarga. No exato instante em que estas palavras são digitadas.

Com o corpo do agora, afetado pelo mundo do agora, a alma do agora resgata o já vivido como pode. Usando material semiótico, como imagens e palavras. Que se reportam ao que já aconteceu. A tudo isso chamamos de passado. É o passado da alma. Tão presente quanto o mais imediatamente vivido.

No segundo tipo de instante, a vida se vê plenamente absorvida pela percepção imediata do mundo. É o presente da alma. Que exclui todo devaneio pelo já vivido. Bem como toda precipitação que abocanha o ainda não vivido. Corpo e alma envolucrados na absoluta presencialidade. Ocupar espaço com o corpo. Perceber, pensar e sentir com a alma. No mesmo tempo e lugar.

Clóvis de Barros Filho

E finalmente, no terceiro tipo de instante, a alma antecipa o devir. E imagina a vida por viver. Tudo isso, com o corpo e a alma do agora. Onde a vida está. Onde o mundo está. Onde tudo está. É o futuro da alma. Também tão presente quanto o já da leitura desta frase.

— Por essa classificação, não vejo com muita clareza a relação entre o tal tempo da alma e a felicidade. Acho que podemos encontrá-la na lembrança de coisas boas, na percepção de mundos, quando agradáveis, e na conjectura de projetos auspiciosos. Ou não?

Eu era feliz e não sabia

Você tem razão. Há defensores de todas as teses. Felicidade na lembrança, no encontro e na projeção.

Há partidários de uma felicidade nostálgica, atrelada a relatos e narrativas de experiências vividas. Selecionadas a dedo e reconstruídas convenientemente. Gente que se apega ao passado, com unhas e dentes. Para *não enlouquecer* de presente. Não se afogar no mundo percebido. Não pirar nos estímulos em avalanche.

Esse apego pelos bons tempos faz lembrar Jasmine. Não por ter conseguido justapor felicidade e memória. Mas pelo escarrado fracasso dessa tentativa.

Na casa de Ginger

Falamos da protagonista de Woody Allen no filme de mesmo nome. Sucesso de 2013, com direito a Oscar para Cate Blanchett. Uma mulher na casa dos 40 é obrigada a se mudar para a casa da irmã, Ginger, em São Francisco, após a prisão de seu marido, um ricaço golpista de Nova York. Habituada ao luxo, Jasmine entra em contato com a vida suburbana de sua irmã. Solteira e mãe de dois filhos pequenos.

À beira de um colapso nervoso, refugia-se nas suas memórias mais ternas. Para escapar daquele presente degradante. De mau gosto. E o resultado é flagrado pelo humor ácido de Allen.

Essa nova fase da existência, agarrada em lembranças, será tudo, menos feliz. Jasmine torna-se neurótica. Incapaz de viver a vida que agora é a sua. Presa a referências que já não dizem nada a sua existência presente, cai num vácuo existencial profundo.

Serão felizes para sempre

Há também os que exultam em antecipar as ocorrências vindouras. Babam diante de metas a alcançar. Gozam ante o devir imaginado. E asseguram que o melhor da festa é, sem dúvida, esperar por ela.

Novamente, só me ocorre um contraexemplo. Mas serve também. Exigirá uma caloria a mais do leitor. Para sair do sim para o não. Gente que engasgou no sonho. E não foi nada feliz com isso.

A FELICIDADE É INÚTIL

Revolutionary Road, publicado em 1961, é um retrato de vidas vividas em expectativa. No romance de Richard Yates, adaptado para o cinema em 2008 pelo premiado Sam Mendes, April Wheeler é uma atriz medíocre casada com Frank, funcionário de um escritório em Manhattan.

Sonhadora, tenta convencer o marido a se mudar com a família para Paris. A expectativa é de uma vida num cenário inspirador. De criatividade fértil. Onde a consagração finalmente adviria. Ambientada num subúrbio da década de 1950, a trama mostra a lenta e progressiva frustração que acomete April conforme vê sua vida passar. Fim desse parêntese literário.

Para alguns, a ênfase de toda felicidade é no já vivido. Para outros, no devir. Os primeiros, nostálgicos em memória. Os outros, visionários do por viver.

Clóvis de Barros Filho

Deixamos os mais robustos para o final. Com efeito, os que pensaram com mais contundência são os que atrelam a felicidade ao imediatamente vivido. Em reconciliação com o real. Em abertura plena e destemida para o mundo de agora mesmo. Sem escapadelas estratégicas para o já vivido, ou para o por viver.

Só se for agora!

Foi este o brado emancipador de Lester Burnham em *Beleza Americana*. Premiado longa de 1999, sob a batuta do mesmo Sam Mendes. Essa sombria comédia de humor negro apresenta, de um ângulo áspero, a vida de pessoas que, mesmo sem maiores carências materiais, vivem infelizes.

Em plena crise de meia-idade, Lester mergulha numa busca radical e corajosa por alguma felicidade no imediatamente vivido. Abandona seu emprego insuportável num

A FELICIDADE É INÚTIL

escritório. Indicativo maior de sua covardia, de seu apego ao medíocre, às migalhas de segurança financeira.

Numa cena emblemática, enfrenta a mulher, após anos de matrimônio fracassado, chutando o sofá caríssimo da sala de estar.

— Vamos transar aqui, neste seu sofá de luxo! — provoca, aos berros. Ponhamos em definitivo o sofá a serviço da vida. E não o contrário. Como sempre foi.

Passado, presente e futuro. Assunto de gramática. Questão de sabedoria. A serviço da vida boa. As especulações sobre felicidade sempre se serviram dos tempos da alma para escorar suas assertivas.

Para além dos tempos da alma, há outros critérios relevantes para classificar os instantes da vida. Como a relação entre o que nos acontece e a nossa vontade. Assim, nossa existência

Clóvis de Barros Filho

de cada momento dependeria ou não de nossas escolhas para serem o que são.

Não preciso nem dizer. A felicidade, para muitos, também tem a ver com nossa autonomia para deliberar e fazer acontecer. Tema do que virá.

CAPÍTULO 11

Cegueta da retina coladinha

FELICIDADE TEM A VER COM SUCESSO.
Os instantes da existência de cada um também podem ser classificados em função da relação entre o que de fato sucede na vida e a vontade de quem a vive. Entre os acontecimentos e a intenção de seus protagonistas. De fato, algumas situações vividas resultam de uma iniciativa, enquanto outras, claramente, não.

Assim, em certa situação, alguém fez acontecer do seu jeito. De peito estufado. *I did it my way*. Tradução para o inglês do original francês *Comme d'habitude*. Não sei se é tão habitual assim alguém controlar as variáveis da vida e definir a parada por conta própria.

Em outra situação, o desgraçado nada podia fazer. Não estava ao alcance do infeliz. Não teve nada com isso. O que esperavam que ele fizesse?

Comecemos pelos instantes que só acontecem pela intervenção de quem os vive. Inicialmente imaginados, projetados, vividos na mente. O mundo a transformar, ou a fazer acontecer, borbulha antes, em ideias. Só então é tempo de execução. Em etapas, talvez. Num golpe só, quem sabe. Tudo nas mãos do realizador. Plena consciência de meios e fins.

Este livro, por exemplo. Só está aí, nas suas mãos, porque em algum momento seu editor, o Marcial, e seu autor, eu mesmo, decidimos assim.

O primeiro, sugerindo o tema. Sonhando com o título. Com a capa. Depois, ajudando a transcrever mensagens de texto gravadas oralmente. Editando. Corrigindo. Definindo o projeto gráfico. Imprimindo. Apresentando ao público. Distribuindo para venda em livrarias. Até viabilizar a sua compra.

Quanto ao autor, bem, esse só escreveu. Ou melhor, falou gravando no celular. Porque não enxerga. E não digita.

Outras situações, as de segundo tipo, como tínhamos dito, advêm da intervenção de forças que não são controladas por quem as vive. Como as forças da natureza. O terremoto de Lisboa inspirou muitos dos grandes pensadores modernos.

Outro tipo de manifestação da natureza também nos proporciona situações assim. As de pessoas com as quais nos relacionamos. Verdade que essas vêm esculpidas por uma civilização, no entalhador de uma cultura que nos é familiar.

Clóvis de Barros Filho

Mas, ainda assim. Suas iniciativas, reações, pensamentos, discursos, gestos nos impactam. E são, em grande medida, imprevisíveis. Surpreendentes. E fora de controle para quem com elas interage.

Uma situação vivida em minha terra natal configura exemplo sob medida. Havia chegado em Ribeirão Preto, vindo de Brasília. Aeroporto Leite Lopes. Sem bagagem despachada, fui logo procurar quem fora me buscar. Um motorista, desconhecido por mim.

No desembarque, muita gente esperando pelos passageiros. Em nenhuma das plaquinhas constava meu nome. Rapidamente, todos se foram. Menos um indivíduo. Que segurava folha de caderno universitário com o nome J. Carlos escrito a caneta esferográfica. Permanecia impávido. Sem demonstrar inquietação.

Aproximei-me. Comentei que o desembarque parecia concluído. Que não havia mais ninguém. Ele então comentou que viera buscar um professor. Que faria uma palestra na empresa que o contratara. Sorri, então, aliviado. E informei que o professor era eu.

Meu interlocutor, desagradado, perguntou-me se não o havia visto ali. Disse que sim. Mas que meu nome não era J. Carlos. E, por isso, não me havia apresentado. A resposta do motorista, em tom de obviedade enfadada, foi surpreendente para mim.

— Ora. J. Carlos sou eu. Por que haveria de trazer uma placa com seu nome? Se o seu nome o senhor já sabe?

O maior ou menor grau de dissonância entre as ações e reações esperadas e efetivamente percebidas denuncia quanto as relações interpessoais, tão relevantes para uma vida feliz, estão nas mãos do acaso, para uns e outros.

E, claro, as pessoas não precisam estar ao seu lado para proporcionar situações

Clóvis de Barros Filho

descontroladas de vida. Podem afetar de longe. Impondo seus interesses. Por intermédio de suas decisões. Suas escolhas. Suas normas. Os chefes que trabalham nos andares superiores, tanto quanto nossos governantes palacianos, impactam nossas vidas sem nunca dar as caras.

Às vezes é melhor assim.

Quiabo no canto do prato circular

Assim, podemos ser vítimas de ingratidão, de mentira, de traição, de furto, de violência física, de agressões verbais. Tudo que brota na alma do agressor. Em ódio e fel. Que se manifesta em seus punhos. Em sua verve. E que tanto entristece suas vítimas.

Logo ao amanhecer, você cruza com o vizinho intragável no elevador. A sua simples presença ali se impõe. Tê-la-ia evitado se pudesse. Como também o que viesse a dizer. Dessa vez, informou que não conseguira dormir. Por causa dos latidos da nossa Yalta.

A FELICIDADE É INÚTIL

Chegando ao ponto do ônibus, o seu acaba de passar. Perto o suficiente para se certificar do número. Longe o bastante para frustrar uma corrida e humilhante solicitação de reabertura de portas. O seguinte demorou a chegar. Trazendo consigo todos os atrasados em desespero. Superlotação opressiva.

Na chegada, o chefe se deu conta do seu atraso. Não é sempre tão atento. Nem com todos se mostra tão vigilante.

No almoço, o refeitório de sempre. A bandeja de metal já contém as reentrâncias de acolhimento alimentar. As iguarias são descoladas das colheres com firmeza por quem as serve. Vitória sobre a adesão. Em gestos de impaciência e força exagerada.

No cardápio, escrito com giz na lousa lá de fora, frango com quiabo. O frango, vá lá. Já o quiabo é travessura babenta do mundo pra cima do trabalhador sem escolha. Lembrete recorrente do real a respeito do verdadeiro significado da vida.

Isso tudo pra você, é claro.

Porque haverá muitos a quem o quiabo proporcione gozo e fruição. Não sendo o seu caso, deixa separado tudo que é verde num cantinho do prato circular. Dá de ombros para o gosto da carne, alvejado pelo legume.

Na saída, o café na cafeteira térmica não era o mais recente. Certamente passou por reaproveitamento. Veio adoçado além da conta. Em temperatura de morna pra menos.

Com pouca atividade durante a tarde toda, eis que surge, faltando alguns minutos para o fim, solicitação de tarefa demorada. Todos se vão. E a solidão de sempre acaba de ganhar a companhia inesperada do isolamento.

Em casa, a caçula exibe as marcas dos dentes de coleguinha em torno do nariz. Garante que houve sangue. E muito choro. O cônjuge, por

A FELICIDADE É INÚTIL

seu turno, estava como nunca. Queria falar. Do êxito de seus projetos. Dos aplausos e galanteios que recebera. Que esperava, de sua parte, mais cumplicidade. Sem falar da ambição. Que nunca foi mesmo o seu forte. Sempre largado, entregue e conformado.

E nada disso você escolheu.

Cada uma dessas ocorrências teve certamente suas causas. Engendradas em redes de relações causais. Em encontros e desencontros. Que foram o que foram. E cujas nuances nem remotamente conheceremos um dia. Fazendo o mundo – e o seu mundo – ser o que só poderia.

E aí você entende finalmente que um pedaço generoso e bem recheado do bolo da felicidade vem definido de fora. Servido em degustação ou de uma vez. No supetão de uma pratada na cara ou aos pouquinhos, em fina louça portuguesa de sobremesa e talheres de prata. No

Clóvis de Barros Filho

fundo amargo do chocolate escuro e no doce bem escasso de uma gotinha de mel.

Magoo contente

Por tudo isso, sempre haverá quem relacione a felicidade com o sucesso. Com a parte da vida que depende de quem vive. Com implementar muito parecido com o imaginado. Com fazer advir no mundo o que antes era só desejo.

A defesa desse ponto de vista não exclui, para os mais lúcidos, a tristeza de ocorrências definidas pelo acaso. Claro que estas sobrevêm. E com frequência. Como vimos na jornada acima. Fazem parte da vida. Tanto quanto qualquer empreitada bem planejada.

Sustentam, no entanto, que, para o termo felicidade ganhar contornos mais palpáveis, consistência conceitual, e abandonar a imprecisão nebulosa em que costuma ser usado, precisaria limitar-se a significar o êxito na

A FELICIDADE É INÚTIL

vida quando esta se encontra ao alcance de quem a vive. E não tentar dar conta de todo o nosso estado de espírito. Corresponderia, dessa forma, a realizações bem-sucedidas. A chegar lá. Como dizem alguns.

Nesse caso, faria todo o sentido persegui-la. Tomar decisões para alcançá-la. Fazer escolhas que permitam experimentá-la o mais frequentemente possível.

Isso porque a felicidade teria mais a ver com nossas disposições, inclinações e pensamentos do que com o mundo a nossa volta. Mais com as nossas iniciativas do que com as pessoas com as quais nos relacionamos. Mais com o que fazemos advir do que com os acontecimentos que se apresentam. Mais com as nossas ideias do que com o que nos é exterior.

Eis uma maneira tentadora de pensar o nosso tema.

Assim, se a vida feliz depende de quem a vive, provavelmente tem a ver com tudo que esteja ao seu alcance determinar. Com suas práticas, seus exercícios, suas competências. Em suma, com tudo aquilo que, na hora de viver, podemos escolher para nós.

Isso de vincular a felicidade ao sucesso me faz lembrar do oftalmo que me operou. Dez dias após a cirurgia, eu tinha perdido toda a visão do olho operado. Só então o jurado em Hipócrates, aprofundando seus estudos, descobriu que o silicone usado na minha cirurgia poderia necrosar a retina descolada. Em casos raros, claro.

A despeito da cegueira irreparável, garantiu, com uma ponta indisfarçável de orgulho:

— Olha, apesar da sua falta de visão, o trabalho foi bem feito. A retina está coladinha. Impecável.

A FELICIDADE É INÚTIL

É só uma gripe!

O trágico da estupidez na vida vivida encontra par na ficção. E não qualquer. A crônica é de Carlos Drummond de Andrade. Ele mesmo, poeta mineiro cuja prosa, publicada nos principais jornais do Rio de Janeiro, capturou, dum flagrante de esquina à fala inusitada das crianças, as visões mais espetaculares do absurdo cotidiano.

Na cama, um moribundo. Febre alta, vertigens. A filha e a mulher conversam baixo. Timbre de velório. Providenciam compressas. Logo os netos chegarão. Mas eis que o doutor examina e declara, num desprezo que faria gosto ao mais esnobe aristocrata: "É só uma gripe".

A família se entreolha como que traída. Mas o senhor de 80 anos, míope, largado na cama, os olhos assando, evoca Machado de Assis:

Clóvis de Barros Filho

"Atura-se com muita tranquilidade a dor no fígado alheio".

Quanta ousadia para um moribundo só. O médico de Drummond, irmanado em corporação ao meu oftalmo, fariam do coro da empáfia uma só voz.

– Seu sofrimento, sua dor, seu desmazelo, sua cegueira não passam de erros de avaliação. Próprios de pacientes amadores. Somos porta-vozes da verdade. Que aprendemos vivendo uma vida que você não viveu. Portanto, cale-se. Não nos atrapalhe. É só uma gripe. E a retina, então, essa está impecável.

Por essas e tantas outras, haverá também os que incluam na equação da vida feliz uma dose de sorte. Sem um acaso minimamente favorável, não dá para falar em felicidade.

Quando o mundo, com suas forças incontroláveis, resolver pegar um pra Cristo, aí, meu amigo, só resta lembrar o sábio Sileno. E lamentar a lentidão do espermatozoide ao lado.

Mas voltemos ao que depende ou não depende de nós.

Seria plausível vincular um ou outro desses dois tipos de situação à felicidade se fosse possível separá-los com clareza. Colocando, de um lado, o que só depende de nós, e, de outro, o que não depende, de jeito nenhum.

Mas não funciona assim. Talvez nunca.

CAPÍTULO 12

A sela chinesa do cavalo selado

FELICIDADE TEM A VER COM COMPROMISSOS.

No fluxo da vida, muito daquilo que depende da iniciativa de quem vive encontra-se imbricado às forças que transcendem essa mesma iniciativa.

Como o silicone, escolhido e usado pelo médico, e as células pouco comuns da retina do paciente, que desafiaram toda pertinência deliberativa. Uma insensatez querer separar a decisão médica do olho a ser operado.

A FELICIDADE É INÚTIL

Porque, no cotidiano mais comezinho, você terá que fazer escolhas a partir de ocorrências alheias a sua decisão.

X e Y na mão. Mas tem o Z. E que Z!!!!!

Se começar a chover no meio do caminho, você terá que deliberar em função dessa nova realidade. Uma vida mais molhada. Acontece no meio da rua. E também no aeroporto. Onde o ir e vir é obstado pelo cancelamento do voo. E o próximo, da mesma companhia, é muito tarde. A aquisição de uma passagem em outra companhia é onerosa demais para o ganho esperado com a tarefa do dia.

Você calcula rápido. De um lado, a outra passagem, que custa x; de outro, o pagamento pela reunião, que será de y. E você vê qual é maior. Tudo na mão. Até aí, molezinha. Mas o cálculo não acaba aí. Você sabe.

Porque um eventual não comparecimento da sua parte pode resultar em outras perdas, além

Clóvis de Barros Filho

do valor previsto para aquele encontro. Outros negócios, muitos outros, de valor impossível de prever naquele momento. Chamemos de z.

O tamanho da frustração do cliente é avaliado em segundos. Com critérios atravessados pela angústia. Avaliação temerária. No limite de precisão definido pelas conversas com a secretária. Que também é tradutora.

O cliente é um cliente chinês. Você nunca o viu. Nem trocou palavra. Representa uma empresa do seu país. Que acaba de se instalar no Brasil. Cujo poder de fogo você ignora. Você supõe que esse contato inicial pode não dar em nada. Eles devem trabalhar de um jeito muito diferente do seu.

– Mas e se a parceria esperada for longeva? Ultrarrentável? O valor de z, ali no aeroporto, pode ir do zero ao milionário.

E aí? O que você faz? Mostra sua veia artística de ligar o foda-se? Como recomenda a

A FELICIDADE É INÚTIL

autoajuda mais aplaudida? Comunica simplesmente o cancelamento do voo. Diz que não dá pra ir. E volta pra casa.

Ou desliga o foda-se. Decide ser profissional e responsável. E paga outra passagem pra ver? Com o que você tem na mão a respeito dos futuros parceiros chineses, a deliberação será mesmo no escuro.

Decidiu, então, voltar pra cama. Ir até o Rio para perder dinheiro não dá. Quanto ao z, muito incerto para merecer sua atenção.

Nesse caso, poderá haver, por parte do executivo asiático, plena compreensão da situação. E aí, você terá descansado, arriscado menos, economizado o dinheiro da passagem etc. Marca-se uma nova reunião e pronto.

Mas poderá ocorrer o estritamente contrário. Seu gesto é interpretado como falta de profissionalismo. Desinteresse. Descaso pelo compromisso. Desaprovado, portanto.

Clóvis de Barros Filho

Nesse caso, você terá perdido a chance de um salto profissional inédito em sua trajetória. O cavalo passou seladinho, bem no seu nariz, pronto pra montaria. Com selas chinesas. Originais. Mas você refugou.

Acompanhando o exemplo acima, entre tantos infinitos que poderiam ocupar seu lugar, concluímos com o leitor que muito pouca coisa na vida dependerá exclusivamente de quem vive. Em desvinculação absoluta de qualquer tipo de variável por ele não controlada.

Efeitos complexos

E não é só na hora de escolher um meio – entre muitos possíveis – que o mundo incontrolável constrange. A sua implementação também será atravessada de complexidade. Os efeitos a produzir sempre resultam de intensa negociação. Afinal, o mundo já estava no lugar. Tem direitos adquiridos. Chegou primeiro.

A FELICIDADE É INÚTIL

Você aparece de paraquedas. E já quer sentar na janelinha. Mudar tudo do seu jeito. Não é bem assim que a banda toca.

Toda execução de um projeto exigirá um novo agenciamento de matéria. Que enfrentará a resistência do que ora já é. Do disposto até então. Por vezes renhida. Como perguntava o nosso Mané Garrincha depois das estritas instruções do técnico:

— Mas vocês já falaram com os russos sobre isso? Eles tão sabendo?

Quando nos perguntamos por que decidimos tomar esta ou aquela iniciativa, agir de uma maneira ou outra, optar por esta ou aquela conduta, costumamos trazer como justificativa um resultado que dela seria decorrente. E que tenha valor positivo. Que seja prazeroso, agradável, alegrador. Ou simplesmente útil para a obtenção de uma outra vantagem pretendida.

Clóvis de Barros Filho

Porém, todas essas consequências, que supomos resultarem de nossas iniciativas, só se produziram pela intervenção concomitante de muitas outras variáveis das quais podemos ou não ter consciência. Essas variáveis acabam sendo causas. Tanto quanto nossa criteriosa estratégia. A complexidade salta ainda mais aos olhos quando dá tudo errado. E você vai atrás de descobrir o que aconteceu.

Como o oftalmo. Que, depois de cegar, refez seus estudos. E descobriu tudo sobre a incompatibilidade. Profissional diligente que é.

O joio agarrado no trigo

Quase todo mundo disputa a tapa amor, dinheiro, prestígio, erudição, vitalidade. Adoraria ter nascido com um pouco mais de talento. E outros atributos de natureza. No entanto, na complexidade do mundo da vida vivida, ante a incidência de variáveis que nos escapam, tudo isso pode facilmente dar causa ao pior.

A FELICIDADE É INÚTIL

Assim, o amor do apaixonado, no flagrante da traição debochada, rende um homicídio, e alguns anos de reclusão. Isso depois de muito ódio. O dinheiro, na flutuação dos câmbios e das bolsas, denuncia o fracasso. Esfrega a cara na pobreza. Ou, para não cairmos de todos os pedestais, nos submete a uma queda significativa de padrão de vida.

O prestígio, ante a mais simplória investida difamatória, nos arremessa na desconfiança e na decepção. O talento vem sempre acompanhado da inveja do desprovido. E a erudição nos condena ao vômito ante a tosqueira reinante no mundo. Quanto à vitalidade, bem, esses fazem a fortuna de ortopedistas e fisioterapeutas. No exagero do radical e seu joelho combalido.

E quanto aos outros atributos de natureza. Às vezes tão desejados. Alguns, há quem diga que podem machucar. Justo na hora que deveriam fazer badalar sinos, fazem soar estridente

Clóvis de Barros Filho

sirene de dor, ardor e despudor. Outros, turbinados pelo silicone, quando realmente volumosos desde a origem, fazem padecer as costas. Acabam reduzidos na faca.

Esse agarramento entre a alegria e a tristeza, vinculação que esculpe de paixão os dilemas da vida, torna toda ideia mais lúcida de felicidade salpicada do verde-amarelado da diarreia.

E, falando nisso, me vem à mente, conversando com você, *Cidadão Kane*.

Longa de 1941. Charles Foster Kane, interpretado pelo próprio diretor, Orson Welles, nasce pobre. Mas enriquece por conta de uma mina herdada pela mãe. Na juventude ergue um império de mídia. Casa-se com a sobrinha do presidente americano. E se vê candidato a governador.

No entanto, todas as suas ambições de poder são frustradas. À medida que o controle sobre o mundo lhe escapa, Kane vai se tornando cada vez mais violento com as mulheres da sua vida. Com a esposa, por certo, mas também com a amante. A frágil Susan Alexander.

Morre, assim, praticamente sozinho, em seu castelo reconstruído, porém inacabado. Ansiando pela simplicidade de sua infância.

Quanto mais vasculhamos na vida vivida o que poderíamos chamar de felicidade, mais ela vem enroscada no pior da tranca ruim.

E mesmo que porventura pudéssemos construir, em forma de tabela ou algoritmo, as variáveis que seguramente nos trouxessem felicidade, teríamos de imediatamente aceitar que ela depende menos de nós mesmos e das coisas da vida que podemos escolher para nós, e mais do que nos acontece do mundo, das condições objetivas que nos são impostas, das intervenções e ações dos outros.

Assim, nossa felicidade estaria sempre no fio da navalha. Periclitante, provisória, frágil.

Clóvis de Barros Filho

Restando comemorar, aqui e acolá, um salpicar de alegria, ou de singela serenidade, em que a simples ausência de dor já sugere, por si só, um clímax.

Esperar mais que isso é falta de sabedoria. Coisa de gente que não entendeu nada da vida.

Resta ser o fodão do pedaço

Para que a felicidade pudesse depender apenas de nós mesmos, seria preciso estar imunes a tudo que, no mundo exterior a nós, possa nos ser lesivo. Essa imunidade tornaria inofensiva toda e qualquer ocorrência objetiva. Blindando-nos de tristeza, dor, melancolia, angústia e congêneres.

Pensando assim, o mundo só se mostra cruel, ferino, letal e destruidor por conta do nosso despreparo. Fôssemos outros, distintamente apetrechados de corpo e alma para encontrá-lo, aquele mesmo mundo que tanto nos agride seria inofensivo.

A FELICIDADE É INÚTIL

Assim, a notícia chega rápido. Sua residência pegou fogo. Acontece. E seus entes queridos padeceram. Você aí não aguenta. Entra em colapso. Emocional e psíquico.

Ora, a fragilidade é sua. Estivesse você distintamente preparado para a recepção de tal discurso, para essa informação, esse mesmo relato poderia ser absorvido sem sobressaltos, sem abalo e sem tristeza.

Resumindo. O mundo só é cruel para quem é mal preparado, fraco e impotente.

E essa felicidade defendida por muitos sábios deve ser buscada ininterruptamente. Em quaisquer situações de vida. Inclusive nas mais desfavoráveis. Sim, porque se fosse para falar de felicidade nos momentos em que tudo vai bem, teríamos deixado de fora muita coisa, a maior parte. Quase tudo, talvez.

Assim, quando temos vida interior, alma forte, resistência psíquica, pouco importa o

Clóvis de Barros Filho

tamanho da lança, a acidez do mundo ou a crueldade do inimigo. Os que já sofreram mil sofrimentos, esses já conhecem tudo ou quase tudo. Nenhum mundo novo pode angustiar mais. Nenhum golpe surpreende na hora de demolir.

Esses terão eliminado da vida um bom naco de tristeza. Aquela que nasce na alma. Que fragiliza ao desfocar. Que esfacela antes do embate. Que trombeteia a dor a sentir. Que imobiliza por antecipação. Tristeza que aqui chamamos de medo.

Esperança às avessas.

CAPÍTULO 13

Vida que dispensa sobrevida

FELICIDADE TEM A VER COM PRINCÍPIOS.

A ética nasce na morte. De um corpo de carne e osso. Como o meu e o seu. Quem morreu foi Sócrates. Condenado a ingerir cicuta em 399 antes de Cristo. Acusado de corromper a juventude e de não venerar os deuses. Atentando assim contra princípios religiosos.

Morrer pelo todo

Essa condenação gerou polêmica. Muitos denunciaram sua injustiça. Um discípulo do filósofo, Critão, organizou um esquema de

Clóvis de Barros Filho

fuga. Sócrates aguardava na prisão o momento da sua execução. Ao tomar conhecimento do plano, recusa com indignação.

– Como assim, fugir? Evadir-se?

Critão não entendera nada de seus ensinamentos. Sócrates jamais agiria contra as leis da cidade. Leis que traduzem uma ideia de justiça. Que decorrem – ou deveriam decorrer – de uma ordem maior, do todo. Que integram todo o universo.

Quanto a sua injusta condenação, não hesitava em sentenciar: mais vale ser vítima de uma injustiça do que praticá-la.

No preciso instante em que alguém abre mão da vida, isto é, de continuar vivendo, em nome de uma ideia de coletivo justo, a ética vem à luz.

Sócrates, recusando-se à fuga, decide pela morte. Cena apresentada na genialidade do pintor Jacques-Louis David em 1787.

— Quer dizer que o mais sábio homem do seu tempo, de certa maneira, dadas as condições que eram as dele, escolheu morrer?

Exatamente. Podemos inferir daí que quando um sábio escolhe a morte é porque sinaliza que existe algo na vida de valor superior a continuar vivo. Uma vida que supera a sobrevida. E que a dispensa, por assim dizer.

O relato desse episódio deixa claro que a busca e preservação de uma ordem justa é superior a qualquer outro valor ou princípio. Até mesmo o da preservação da vida de um homem justo.

— Posso interromper?

Sempre. Estou aqui por sua causa.

— Veja. Se a felicidade é inerente à vida, podemos dizer que seu valor depende disso. De estar vivo. De continuar vivendo. Sem vida, não há felicidade. Ora, se Sócrates decidiu não continuar vivendo, abriu mão de toda a felicidade que poderia vir a sentir dali pra frente. Estou errado? Só posso concluir que a tal da ordem justa, para ele, vale mais do que toda a felicidade que poderia vir a sentir se aceitasse o plano de fuga de Critão.

Adorei. Pergunta que ajuda muito a tentar entender melhor como essa gente pensava.

Caso Sócrates tivesse aceitado fugir, esse gesto objetivaria uma agressão grave às leis da cidade. Que, por sua vez, traduzem para o âmbito da *polis* a ordem cósmica.

Sua decisão pela própria sobrevida implicaria uma desarmonia, digamos, radical. Não haveria, nesse caso, nenhuma felicidade possível. Esta requer respeito à ordem. Integração. Agir em conformidade.

Assim, de nada terá adiantado continuar vivo. Viver por viver, viver em desordem, ao sabor das conveniências de circunstância. Eis o que Sócrates jamais faria.

A FELICIDADE É INÚTIL

Felicidade maior que a vida

Ao abrir mão da própria, Sócrates age na preservação de uma ordem. Esta, por sua vez, ancora a felicidade possível de muito mais gente do que ele. A vida boa de tudo que vive. Bem superior aos anos restantes de sua existência singular. E clandestina.

Insistimos, portanto, que, por mais que estivéssemos falando de Sócrates, o mais sábio homem do seu tempo, a preservação da sua vida, de carne e osso, jamais poderia ter primazia perante a preservação da ordem do todo.

Bem como diante das leis e normas da cidade. Propostas por legisladores, sábios o suficiente para converter essa ordem em regras de conduta aplicáveis a todo cidadão. Superiores, portanto, a quaisquer outros valores, pretensões, interesses, inclinações, apetites ou desejos particulares.

Clóvis de Barros Filho

Assim, a vida de tudo que vive, plantas, animais e nós mesmos, comporia um todo maior com as peças de uma máquina ou os órgãos de um gigantesco organismo vivo. Desempenhando um papel. Funções. Complementares umas às outras.

Por isso, a razão de ser, ou o sentido da vida de cada uma dessas partes, seria inexplicável senão em função do pertencimento a esse todo.

É para a sua preservação, para que o universo continue vivo, que as partes ganharam seu quinhão de vida. Vida temporária, é verdade. Mas adequada à condição da sua natureza. Para realizar o que dela se espera.

Dessa forma, nada do que é parte encontra sentido na avaliação estrita de si mesmo. No isolamento funcional. Mas sim na integração. Aquela de se dar bem em detrimento do outro, ou do resto, aqui não rola. Porque tudo que é prejudicial ao todo tem valor negativo.

A FELICIDADE É INÚTIL

Inviabilizando, no caso do homem, qualquer felicidade.

Não se trata, portanto, de ser episodicamente generoso. De dar um pouquinho do que é seu para que o resto ande bem. É mais do que isso, muito mais. Nenhum instante da existência, nenhum fragmento de vida tem a menor razão de ser se não estiver devidamente ajustado a todo o resto, que dele depende.

Homens, mulheres e o resto

Haveria, nesse caso, uma importante distinção a fazer. Entre a vida das plantas e dos animais e a nossa, a dos humanos. Os primeiros reagem em adequação ao todo de que fazem parte. Necessariamente.

Não lhes resta outra. A harmonia lhes é intrínseca. Vivem como só poderiam viver. Na mais estrita inexorabilidade. É como é. Do único jeito que poderia ser. Do jeito que tem de ser. E do jeito que deve ser.

Clóvis de Barros Filho

Assim, para plantas e animais, o ser e o dever ser caminham juntos. Coincidentes. Unidos. Idênticos.

Já para o homem e para a mulher, restariam outras soluções. A harmonia com o cosmos é apenas uma via entre tantas outras possíveis. A vida boa, ajustada, integrada à máquina em respeito à finalidade que é a própria e é a de cada um, é apenas um mundo possível. Uma solução para a existência. Em meio a tantas outras.

Assim, homens e mulheres podem virar as costas ao mundo cósmico. Agredir a vontade de Zeus. Ultrapassar as fronteiras do seu lugar natural. Exceder. Optar por um transbordamento desajustado. Blasfemar contra a natureza. A própria natureza. Que deveria lhes servir de guia.

Assim só o homem e a mulher, claro, podem transgredir. Bagunçar, enfiar o pé na jaca, chutar

A FELICIDADE É INÚTIL

o pau da barraca. Só eles podem, perante um todo que funciona como um relógio, fazer o papel do maluco desorientador, do peralta que desorganiza, do sapeca.

Que, em vez de cumprir com excelência o que o todo espera dele, servindo-se de seus recursos naturais, vai viver a vida que não é a sua. Desfalcando o time. Fazendo padecer todo o resto. Desperdiçando o que dispõe de mais precioso. Virtudes que lhe garantiriam uma exultante e harmoniosa existência. Integrada numa ordem que lhe precede e o supera.

A ignorância que atravanca...

Ora, mas por que homens e mulheres, podendo viver em harmonia, felizes, explorando seus recursos e integrando harmonicamente o todo, por que optariam por uma vida em desmesura, em desencaixe, em desarmonia?

Clóvis de Barros Filho

Por ignorância, com certeza. É a tese de Sócrates.

Afinal de contas, encaixar-se por escolha ao todo implica ter grande conhecimento de si mesmo. E algum conhecimento do resto, do todo, do universo. Conhecer-se a si mesmo tornou-se a dica primária e fundamental. Condição primeira de uma vida feliz.

Assim, a ética, mais pra frente, acabou se tornando uma medida da vida feliz. Tanto quanto a felicidade, podemos nós concluir, tornou-se uma medida da vida ética. Contam nossas escolhas, nossas decisões. O que fazemos da vida, em suma. Pensando e vivendo de acordo.

— Resumindo, se pensarmos corretamente, conhecendo-nos e conhecendo o mundo a que pertencemos, seremos irremediavelmente felizes.

A FELICIDADE É INÚTIL

Isso. Mas a partida não está ganha. Primeiro porque esses pré-requisitos que você apontou já são bem complicados. O que você disse equivale a relacionar a sabedoria à felicidade. Seja sábio e será feliz.

Não está tão na mão quanto parece.

CAPÍTULO 14
Pensar a vida e viver o pensamento

FELICIDADE TEM A VER COM SABEDORIA.

Pensar a vida e viver o pensamento. Título que justifica a escolha da prefaciadora. Para mim, a Monja Cohen, dentre todas as pessoas que já encontrei pelo mundo, é a que melhor pensa a vida. E também a que mais consegue viver de acordo com o que pensa. Portanto, a monja é a pessoa mais sábia que já conheci.

Para o sábio, não basta pensar bem. Saber atribuir valor às ações cogitadas. Identificar as supostamente mais prazerosas, mas só

A FELICIDADE É INÚTIL

dar-lhes primazia se satisfeitas todas as condições impostas pela razão prática. Questionar a universalização possível do particular. Toda sabedoria cobra a implementação do pensado. Em vida deliberada e efetivamente vivida.

Para o sábio, tampouco basta viver bem. Com o prazer superando a dor. A alegria vencendo a tristeza. E o sucesso mais recorrente do que o fracasso. No universo caótico de mundos que afetam, a sabedoria exige mais do que simplesmente manter a potência em alta. Sobretudo se a vida entendida como boa resultar de variáveis fora de controle, do acaso, da sorte. Ou de decisões condenadas pela moral. Aviltantes para a humanidade.

Para o sábio é preciso as duas coisas. Pensar bem e viver bem. E ainda mais. Importa que a vida boa decorra efetivamente do bom pensamento. Seja por ele determinada. Porque para ele tudo começa por uma competente

Clóvis de Barros Filho

inteligência prática. E a vida vivida seja por ela regida. Ao menos a parte que advém das escolhas e das deliberações. Viver bem, portanto, segundo ou de acordo com o bom pensamento. Eis a sabedoria de que estamos falando.

Não é qualquer saber

Na palavra sabedoria encontra-se embutida outra. O saber. Mas a sabedoria que aqui vinculamos a felicidade não faz alusão a qualquer saber, ou conhecimento.

Assim, você sabe qual é o caminho menos congestionado para chegar ao trabalho. Sabe apertar a descarga do vaso sanitário. Calçar meias. Ler um romance. Engolir um comprimido. Mas, provavelmente, não considera esse tipo de saber como sabedoria.

Você também sabe quais são os alimentos mais nutritivos, o dia de pagar a conta de luz, quanto tempo leva para fazer o supermercado,

A FELICIDADE É INÚTIL

como proporcionar prazer ao cônjuge, preparar um inesquecível arroz com ovo. Mas também intui que nenhum desses saberes tem a ver com o que chamamos de sabedoria.

Se o sábio é assim chamado, certamente o é porque sabe algo que não coincide com nenhum dos saberes acima. Tampouco com infinitos outros que ajudam a enfrentar o cotidiano dos encontros com o mundo.

Dizendo de outra forma: gente que nem remotamente se candidataria a sábio pode saber muito sobre as coisas do mundo. Se virar nos 30, dar nó em pingo d'água e ir se safando dos enroscos do jeito que dá. São dotados de um saber prático que resolve desde entupimentos até manchas horrorosas na roupa.

— Assim o problema continua na nossa mão. Se a felicidade corresponde a uma sabedoria, e se esta última nada tem a ver com tantos saberes que usamos no dia a dia, então ainda

Clóvis de Barros Filho

resta-nos responder: que tipo de saber é esse que relacionamos com a sabedoria? Que tipo de pensamento é esse que faz do seu autor um sábio?

Para te ajudar, apresento certas características de saberes que, acredito, sejam constitutivos de alguma sabedoria. Poderiam estar mais bem sistematizadas. Mas é o que tenho para hoje. E não ficamos, eu e você, no vácuo.

O saber que não é sabedoria

Acho que o saber do sábio não se comprova, nem se prova. Não se converte em lei científica, menos ainda em probabilidade. Não se testa em laboratório, como alguma hipótese em investigação. Tampouco incide sobre este ou aquele *corpus* de pesquisa.

O saber do sábio não se pendura na parede em diploma chancelado por instituição de ensino. Não se deixa objetivar em capital escolar. Não se torna discurso, enunciado com pompa, em estratégias de distinção. Não vira tratado de muitos tomos, nem cabe nas prateleiras abarrotadas das bibliotecas de prestígio.

Há no mundo autênticos sabichões. Gente de boa memória. Que já viu de tudo um pouco. Leu muita coisa. E passou por muitos cantos. São capazes de discorrer horas e horas sobre temas de atualidade. Com dados. Referências. E boa capacidade de articulação. Juntam tudo isso em fala charmosa, arrancando admiração e suspiros de suas plateias.

Mas passam longe de toda sabedoria.

— Bem. Já sabemos, em detalhe, o que o saber do sábio não é. Mas continuo curioso.

Vida genérica e vida vivida

A sabedoria tem a ver com a vida vivida.

— Acho engraçado quando você fala em vida vivida. Não sei exatamente a que se refere. Por que não falar apenas em vida? Qual a diferença?

Clóvis de Barros Filho

Entendo sua dúvida. Sempre que tomamos o cuidado de juntar algum atributo ao substantivo, a primeira reação é de se perguntar pelos outros atributos possíveis. Como seus contrários.

Assim, um homem generoso, antes de mais nada, não é avaro. Como a banana-maçã que não é nanica. Chocolate amargo não é daquele doce, ao leite. Vitória esmagadora não se confunde com outra apertada. Usar o resto, o outro, o contrário como referência chama-se tautologia.

Ora, quando falamos em vida vivida, fica a sensação de que não haveria outra possível. Que vida poderia "não ser vivida"? Quando muito alguém arriscaria contrapor uma vida (ainda) vivida com a vida (já) morrida. Mas não é a isso que me refiro.

Se eu dissesse que o sábio é aquele que pensa sobre a vida apenas, ou que tem essa vida como objeto de sua inquietação intelectual, deixando de fora o vivido, teria que arrolar nessa categoria todo cientista que estuda organismos vivos. Biólogos em geral, zoólogos, botânicos, bioquímicos, veterinários etc.

E esse também não é o caso. Não são sábios por isso.

Todos eles são cientistas. Estudam os organismos e a vida como eles são. Naquilo que têm de mais necessário. Formulam leis. Que serão comprovadas n vezes por outros cientistas.

Sociólogos, antropólogos, psicólogos também se interessam pela vida. Mais focados estão na vida dos humanos. Como interagem com os demais. Como se juntam em grandes aglomerados. Quanto são afetados por eles. De que forma se adaptam a realidades grupais preexistentes. São incríveis. Mas tampouco eles pretendem, com suas investigações, alcançar alguma sabedoria.

— E por que não?

Ora, porque o sábio não é um cientista. Nem biológico, nem humano. Não pretende enunciar leis que dão conta das ocorrências no mundo tal e como são. Não se servem de *corpus* algum.

Saber da vida vivida

O sábio se interessa pela vida realmente vivida. Por mim, por você, leitor, por ele mesmo, e por tantos outros. Com suas ocorrências. Com seus problemas. Com as enrascadas em que nos metemos. Interessa-se pela solução que estamos pensando em dar. Atribuindo valor a todas as possibilidades que passaram pela nossa cabeça.

Assim, a sabedoria está mais próxima das habitualidades do cotidiano do que da excepcionalidade de uma defesa de tese. Das provações do dia a dia do que das provas e contraprovas do laboratório. Diz mais respeito ao diário de cada um do que às revistas científicas com suas mais recentes descobertas e renovadas verdades universais.

Mas ainda assim, que fique claro ao leitor, sabedoria também é saber. Pensamento, articulação da inteligência, associação de ideias. Que terá inevitavelmente a ver com a vida no mundo que é a nossa. E de mais ninguém.

E é por isso que, na sabedoria, o que pensamos para viver e o que vivemos depois de pensar são inseparáveis. Os gregos denominavam a parte intelectiva de *sofia* e a prática de *frenesis*. E o sábio as conjuga, as associa. Julga bem para fazer bem. Avalia com justiça para viver o justo.

Assim, o sábio é um pensador da vida. Que pensa sobre seu valor. Sobre as condições do valor positivo. Sobre o que é fundamental na

Clóvis de Barros Filho

hora de viver. Sobre que tipo de vida temos de levar para que possa valer indiscutivelmente a pena.

Por isso, um indivíduo astuto o suficiente para de madrugada, parado no meio da estrada, abrir o capô do carro e identificar o colapso mecânico que interrompeu o seu funcionamento, conseguindo ainda repará-lo, fazendo-o funcionar novamente, com certeza sabe muitas coisas. Mas ainda que pusesse o veículo em marcha sem motor algum, não seria sábio nunca.

Não por essa façanha.

Coisa da maturidade

Para muitos, pretender a sabedoria requer maturidade. Incompatível com tempos de infância e juventude. A sabedoria implicaria considerar a vida de certo jeito, próprio de quem já viveu muito. E já acumulou experiências de vários tipos.

Fico com os que lamentam que seja assim.

Se a sabedoria requer maturidade, toda vida vivida antes dela não passaria de um preparativo. Vida de menor valor. Vivida em certa inconsciência inconsequente. No caos do acaso dos encontros. Sem âncora. Sem Norte para nortear. E sem Oriente para orientar.

Aí talvez seja tarde demais.

Afinal, de que adiantaria aprender a viver justo quando a vida já está no fim? Para o amargor final da certeza de tê-la vivido errado? E que tudo poderia ter sido tão diferente, se tivéssemos aprendido a pensar a vida mais cedo?

Afinal, esperar por quê? Esperar o quê? Esperar pelo quê?

Se os dias da vida não esperam. Sucedem-se inapelavelmente. Sem revisão possível, sem volta, sem retrocesso. Na vida vivida, todo dia é dia. Oportunidade renovada de sabedoria e felicidade. A sabedoria será a possível. A daquele momento. E a felicidade dela decorrerá. Como puder.

And so what?!?!

A obra de Shakespeare nos ajuda. Faz-nos mergulhar na difícil viagem do autoconhecimento, por intermédio de suas personagens. Escancarando a fragilidade do homem em face do mundo que lhe toca enfrentar. Sem mediação dos deuses. Na chave de peças como *Hamlet* e *Otelo*, homens empedernidos por decisões equivocadas refletem sobre suas vidas obscurecidas. De um passado desastroso.

Em *Hamlet*, um príncipe deseja restabelecer a ordem quebrada pela morte suspeita de seu pai. Já Otelo assassina a mulher que ele acredita o haver traído. O primeiro, obcecado por vingança. O segundo, vítima de calúnias.

A FELICIDADE É INÚTIL

A Otelo, diante da constatação de seu equívoco, resta o suicídio. Hamlet, um melancólico, reflete. No famoso monólogo "Ser ou não ser". Encenado em centenas de montagens teatrais e cinematográficas a partir do século XVI.

E no fim, quando a trama é esclarecida, triunfa a verdade. E Shakespeare se pergunta com a boca amarga: "*So what?*". O nosso famoso "E daí?".

A ordem fora restabelecida. Mas e daí? Será mesmo que era isso o que mais importava? Sobra a indagação sobre o que realmente estava em jogo. O que de fato tinha valor. Afinal, as vidas se perderam. Arruinadas. Ninguém para apagar a luz. E fechar as portas do teatro. De felicidade, só mesmo o duro flagrante da sua estrita e rigorosa ausência.

Clóvis de Barros Filho

Aprender a viver. Enquanto é tempo

Por isso mesmo, defendemos o óbvio. Se habilidades de todos os tipos são reconhecidamente aperfeiçoadas em homens e mulheres, segundo etapas crescentes de dificuldade, por que não educar para a vida, preparando para a reflexão sobre ela, com as mesmas precauções? Garantindo acesso a instrumentos de reflexão, pouco a pouco. Propondo discernimento para decisões de complexidade crescente.

Se fôssemos ensinados sobre coisas de sabedoria mais cedo, com certeza teríamos chance de pensar melhor sobre a vida um pouco antes. E viver mais cedo segundo esse pensamento.

Brindemos, então! A um pouco de tempo a mais de vida com sabedoria. Mesmo sabendo não ser a opinião de gente tão sábia, que desde antigamente garantia que toda sabedoria requer trajetória, tempo de vida vivida.

A FELICIDADE É INÚTIL

Se nossos educadores, na escola ou fora dela, desdenharam a possibilidade de nos preparar para nossa vida de carne e osso, ensinando-nos a pensar sobre ela, proporcionemos nós, a quem vem chegando, oportunidade inédita. Recursos que lhes concedam outro tipo de trajetória. Mais reflexiva e mais feliz.

A humanidade agradece.

CAPÍTULO 15

Periferia simbólica do grotesco

FELICIDADE TEM A VER COM RECONHECIMENTO.

Alguém nasceu com particular habilidade para conduzir uma bola branca com os pés. Protegê-la do alcance de outros pés. Fazê-la rolar sobre a relva com rapidez. E golpeá-la de tal maneira que siga uma trajetória por ele desejada.

Temos em mente um jogador de futebol. Um atacante.

Essa habilidade, sabemos todos, é muito aplaudida em quase todo o mundo. Seu valor é imenso. E costuma ser trocada no mercado da

A FELICIDADE É INÚTIL

bola por fortunas. Capitais financeiro e simbólico. Notoriedade e glória. Empresas de todos os segmentos se apressam em associar suas marcas.

Mudamos de parágrafo. A habilidade agora é das mãos. Como as de Silas. Silas Grassi. Meu amigo campeão. A bola um pouco maior. De cor terra. Pinga mais. No lugar da grama, uma quadra. Piso de madeira bem sintecado. O golpe agora é arremesso. E a trajetória desejada passa pelo interior de um aro onde se encontra amarrada uma cesta aberta no fundo.

Embora o universo de aficionados de basquete seja um pouco menor e mais concentrado num número menor de países, a saúde econômica da liga norte-americana confere às manobras dos mais habilidosos em quadra valores tão elevados quanto o amealhado pelos ases do ludopédio.

Clóvis de Barros Filho

Terceiro exemplo. Com desgaste físico aparentemente muito menor. Impecáveis em altivez e elegância. Como Sandro Conceição. Exímio especialista. Colossais na hora de golpear, usando tacos especiais, bolas bem menores e mais duras. De forma a fazê-las percorrer longas distâncias. Sobre lindos gramados. E entrar em buracos de diâmetro apenas um pouco maiores do que elas próprias.

Falamos do golfe, claro. Atividade desportiva que não é para qualquer incauto. Exige investimentos para a prática que restringem muito a adesão de maior número. Habilidade socialmente mais restrita, portanto. Ainda assim, os craques em encaçapar essas bolinhas trocam suas precisas tacadas por somas tão significativas ou mais que as dos "gênios" dos exemplos acima.

Todos esses citados aqui ocupam posições na sociedade desejadas por muita gente. Que gostaria de estar nos seus lugares. Ganhando o que ganham. Gastando o que gastam. Socializando da mesma forma. Expondo-se ao resto do mundo. Que os conhece e os endeusa. E tudo isso tem a ver com felicidade. Para muita gente.

Claro que o leitor está armado para contrapor.

Buraco negro da irrelevância

O dinheiro do esportista, por mais estratosférica que seja a soma, pode evaporar. O mundo à venda supera qualquer fortuna. As pessoas que se aproximam de uma celebridade do esporte, quase sempre, pensam só em si. Buscam alguma vantagem. Afinal, estar perto de uma delas e poder dizer já vale muito. A posição de planeta ou satélite, para todo parça, supera em anos-luz o buraco negro da total irrelevância social.

Clóvis de Barros Filho

Quanto à exposição, essa é implacável. Ante tudo e todos. Submissão total à abordagem radical. Que borra toda fronteira entre o elogio do fã e o aviltamento do invejoso. Pessoa que todo mundo conhece. E reconhece. Sonho dos anônimos. Pesadelo de quem sonha com um momento de anonimato. Sina de celebridades enfadadas.

Ainda assim, quase todo mundo preferiria ser uma referência do esporte a ser o que é. Desconhecido, ignorado. Dispondo de recursos insuficientes para quase tudo. E com dois ou três amigos na mesma situação. Talvez por ser essa a condição de quase todo mundo.

Voltemos, então, aos nossos ídolos.

Imbatível no pau de sebo

Pés, mãos, tacos, habilidades que valem. Idolatria, poder e dinheiro. Mas há os imbatíveis em escalar um pau de sebo. E outros que, com uma colher na boca, transportam ovos em velocidade espantosa. Sem falar nos que cospem a distâncias impressionantes. Por alguma razão, suas habilidades têm valor irrisório. Seus talentos valem muito menos. Para eles, não há mercado.

A não ser na periferia simbólica do grotesco. Dardo no alvo. Habilidade trocada aos milhões. Chiclete no mesmo alvo. Com precisão equivalente. Sem valor algum. Simples assim. Coisa de idiota. E se estragar o alvo, confusão na certa. Salto com vara, notoriedade e glória. Salto com pula-pirata, no mesmo nível de excepcionalidade, coisa de criança. Ou de adulto com problema.

O valor óbvio dos troféus que valem

Poderíamos nos perguntar: onde reside a eventual superioridade do valor de algumas dessas habilidades? O que justificaria milhões

Clóvis de Barros Filho

para alguns e zero para outros? Por que o mundo remunera a natureza talentosa de uns de forma tão diferente da de outros?

Parece que, ao nascer, nossas eventuais aptidões já têm valor consolidado na sociedade em que fomos paridos. Dessa forma, se a felicidade tem a ver com a natureza de cada um, com aptidões e talentos, seguramente encontra-se vinculada às condições sociais da sua identificação, eventual atualização em performance e aprimoramento.

Todo grupo social deve assegurar um mínimo de convivialidade. O que requer, por parte de uns e de outros, algum respeito a princípios e normas coletivamente estabelecidos. Assim, a busca da felicidade jamais poderá ser uma aventura solitária. Empreendida segundo critérios estritamente individuais. Com adoção de métodos que surjam espontaneamente na mente de cada um.

A FELICIDADE É INÚTIL

Dessa forma, o que podemos entender por felicidade – como também os caminhos autorizados para alcançá-la – encontra-se condicionado a uma ordem coletiva. E, portanto, à ética de um espaço de relações.

Assim, em todas as épocas da história das nossas sociedades, grupos sociais definiram troféus legítimos a serem perseguidos, campeonatos a serem ganhos, vitórias a serem celebradas, triunfos merecedores de aplauso. E tudo isso, claro, tem a ver com o nosso entendimento de felicidade.

O adestramento ao qual somos submetidos, desde o começo da vida, nos faz mobilizar energias com vistas a esta ou aquela conquista. A civilização que integramos converte o valor desta última em obviedade. Configurando uma ilusão, coletivamente compartilhada. Dispensando, assim, toda demonstração.

Clóvis de Barros Filho

Dessa forma, o real valor das coisas se esconde no porão escuro do indiscutível. Por onde transitam adesões espontâneas. Inclinações que, desdenhando argumentação ou justificativa, se assentam na evidência. Garantidora de concordâncias em uníssono. De aglutinação semiótica tranquila. De orquestração harmônica de sentidos. De ideologias hegemônicas.

Toda essa concordância é mais do que necessária para a crença na relevância das disputas. No valor imanente dos troféus. Inerente à sua própria essência. E nunca um simples resultado de circunstancial convenção.

Assim é com o sucesso nas provas, a vitória nos processos seletivos, o triunfo nos concursos. Toda civilização tem um cardápio bem estruturado de etapas que, se cumpridas com êxito, acabam por proporcionar um verdadeiro programa de vida feliz.

A FELICIDADE É INÚTIL

Arena de luta

A que corresponde uma vida feliz?

A resposta legítima, aceita por todos, ou por muitos, é troféu mais que cobiçado. Que estrutura em torno de si uma arena de luta. Embate de interesses em disputa interminável. O entendimento a respeito da vida feliz termina provisoriamente alinhado aos interesses econômicos, políticos, comerciais dos competidores vitoriosos.

Assim, para donos de academias de ginástica há muito interesse de que o entendimento legítimo de felicidade tenha a ver com exuberância física, excelência estética ou saúde.

Para donos de livraria, a felicidade deveria ter mais a ver com alargamento de repertório, agilização da mente, sofisticação da alma. E os donos de igreja vinculam a felicidade da vida de carne e osso à busca de alguma santidade ou mesmo da vida eterna.

Clóvis de Barros Filho

Por fim, para os que têm seus negócios ligados a seguradoras, a felicidade será sempre vitória sobre o temor. Por trás das grades da segurança aparente.

Quanto mais óbvia parecer a inferência, mais evidente for a felicidade da vida e mais desprezível for a argumentação, mais tranquilos estarão os vitoriosos, mais natural o exercício dos seus poderes, mais invisível o arbítrio da sua dominação.

Resistência russa

E, em meio a essa polifônica orquestra de rapinas, em que sonhos e alegrias não passam de instrumento da ganância de seus usurpadores, o convite é para alguma corajosa resistência. Como propõe o russo Tchecov em seu último conto, "A noiva".

Sacha é um jovem herdeiro. De cujas terras muitos dependem. Decide abandonar sua vida

A FELICIDADE É INÚTIL

de privilégios e partir. Denomina sua aventura "exercício autêntico da medicina".

Rechaçado pela família, tuberculoso e oprimido, sente na pele o preço da heresia. Ante uma sociedade pétrea e nada tolerante com desajustados, Sacha não recua. Garantindo à amiga Nádia, pouco antes de morrer, que nunca fora tão feliz.

CAPÍTULO 16
O gargalhar mudo do fidalgo

FELICIDADE TEM A VER COM RIR À VONTADE.

Pensando alto sobre o título do livro. A felicidade é inútil. Haverá algum instante francamente inútil e feliz de que tenhamos plena consciência?

Comecemos pelo inútil. Passando em revista, bem por alto, não é fácil identificar em nosso cotidiano algum instante de inutilidade plenamente assumida. Parece incomodar a ausência confessa de alguma justificativa utilitária. Para o que quer que seja.

A FELICIDADE É INÚTIL

No trabalho ou no cotidiano doméstico, nenhuma chance. Está tudo tomado pelo útil. Quando não pelo superútil. Mas, mesmo fora do eixo casa-trabalho, ou *metrô, boulot, dodo*, como dizem os franceses, que quer dizer metrô, trabalho e sono, não é nada fácil flagrar alguma inutilidade orgulhosa de si mesma.

Assim, quando tiramos férias, é para descansar. Aqui, o descanso dá às férias uma justificativa aceitável. Para si e para algum inquisidor. Quando não fazemos nada, é para espairecer. E se espairecemos, é para voltar com as baterias recarregadas. E quando dormimos é para repousar. Se exageramos no sono, foi para recuperar algum atraso. A transa é para o orgasmo. E este, cada vez mais, integra programas de vida saudável.

O riso tem toda pinta de inútil

Em meio a tudo isso, me veio à mente o riso. Uma gostosa gargalhada. Claro que sempre

Clóvis de Barros Filho

haverá algum especialista autorizado para inseri-la numa rede utilitária. Do tipo quem ri mais tende a viver mais tempo. Rir faz bem ao baço.

Mas eu e você, que de vez em quando gargalhamos, nem sabíamos disso. Rimos por rir. Para muitos como nós, toda risada morre aí. No próprio riso. Para nada além dele mesmo. E, à primeira vista, uma gargalhada genuína e solta tem mais a ver com felicidade do que com tudo que ela não é.

Uma palavrinha sobre o riso, então. Se o leitor permitir. Caso integre o clã dos sisudos, e não goste de perder tempo com bobagem, é só mudar de capítulo. Sem perdas dramáticas.

Coisa de homens e mulheres. Só.

O riso é uma especificidade do homem. E da mulher, claro. Assim, nada nem ninguém mais ri. Só mesmo aqueles que são como nós. Como você, leitor, e eu. Ah, tem o Marcial. O editor.

A FELICIDADE É INÚTIL

Quem garante é Aristóteles. Desde uns 350 a.C. a exclusividade humana faz pensar no que está fora. Excluído. Como um criado-mudo. Se for o móvel, não só não ri, como fica quieto. Do lado da cama. Criado feito mudo pelo marceneiro. Trata-se, mais propriamente, de um servidor mudo. Para apoiar.

Plantas! Essas são vivas. Mas também não notamos suas gargalhadas. Animais? Uma visita ao zoológico permite o flagrante de alguns, exibindo os dentes e emitindo sons. Aparentemente felizes. Dão a impressão de estarem rindo. Às vezes, muito. Sobretudo os símios. Ditos superiores. Mais parecidos conosco.

No centro da cidade de São Paulo, no Largo do Arouche, o restaurante O Gato que Ri, que frequento desde criança, exibe uma foto emoldurada comprovando a ocorrência. Mas você sabe, foto é foto. Não me lembro de ter visto ao vivo caranguejos gargalhando, girafas se

Clóvis de Barros Filho

contorcendo ou protozoários perdendo o fôlego de tanto rir.

Ah. Já ia me esquecendo. Na afirmação de Aristóteles, os deuses também ficaram de fora. Não são homens nem mulheres. Vivem na eternidade. Num presente que não vira passado. Por isso não morrem. Nunca. Então também não dão risada. Só ri quem morre. Quem vai morrer. E sabe disso.

– Não entendi a relação. Será que tem a ver?

Não tenho a mínima ideia. Tudo pode ter a ver. Mas aqui, não necessariamente. Dizer que os deuses não morrem, e que esses mesmos deuses não riem, nunca autorizou a relacionar a morte com a risada.

Pronto. Os excluídos do riso foram passados em revista. Fiquemos com o lado de dentro agora. Só homens e mulheres riem. Por que será?

A FELICIDADE É INÚTIL

Explicar a piada

Quando alguém conta uma piada boa, seus interlocutores gargalham. Se algum deles não o fizer, dizemos que não achou graça. Podemos supor não ter entendido a piada.

De fato, algum entendimento parece necessário para que a piada desperte o riso. Condição de alguma graça. Sem aquele, a tal da graça, ou humor, não existe. E o riso, que deles decorre, não se manifesta.

Se alguém não entendeu a piada, pode até simular. Mostrar os dentes e emitir sons. Fingir que está rindo. Kkkkkkkkk. Pelo celular é bem mais comum. Para não passar por tonto. Afinal, a vida em sociedade cobra algum pertencimento. Escutar juntos a mesma narrativa. Atribuir-lhe sentido, idêntico ou semelhante. Entender mais ou menos a mesma coisa. E rir junto.

Clóvis de Barros Filho

Se alguns fingem rir, sem rir, meu amigo Patrick Levy é um ótimo contraexemplo. O único que conheço. Gargalha, genuinamente, sem emitir som algum. Nem abrir a boca. A comunicação do riso é clara. Mas se restringe ao visual. O contorcer do corpo. Os dentes cerrados. O meneio da cabeça. Mas com zero de ruído. Esse é o Patrick. Um homem discreto e fidalgo. Amigo da vida inteira.

O entendimento necessário para o riso implica um domínio comum de repertório. Que autoriza um compartilhamento de sentido ou significado entre quem enuncia e seus receptores. Exige, portanto, que eles percorram, ao menos parcialmente, caminhos comuns de inferências, concatenação semelhante de ideias.

Papagaio feito às pressas

Essas inferências põem em relação o que é dito e ouvido com algum não dito. O engraçado

A FELICIDADE É INÚTIL

advém de uma operação cognitiva apenas sugerida pela narrativa, mas nunca completamente explicitada.

Aproveito aqui para homenagear o seu Attílio. Attílio Bracco. Maior piadista que conheço.

Um estrangeiro de nacionalidade x acreditou ter comprado um papagaio. Mas, enganado que foi, adquiriu mesmo uma coruja pintada de verde. Ao ser perguntado sobre a ave falante, disparou:

— Olha, falar ainda não falou. Mas está a observar o dia todo.

Os não ditos garantem o humor. O estrangeiro não é astuto. Não se deu conta de ter sido enganado. Corujas não falam. Corujas parecem observadoras. O eventual enunciado de todos os elementos, necessários para a atribuição de sentido, torna a narrativa sem graça.

O que chamam de explicar a piada.

Quando avançamos em pensamento, acompanhando o contador da piada, chegamos a um ponto em que as inferências da mente despertam no corpo certas reações e manifestações. A ocorrência destas requereu, portanto, certo uso da razão.

Numa ação comunicativa, enunciador e enunciatário se encontram em parceria, na construção dialógica de certo sentido jocoso.

Por isso, costuma-se dizer que no riso há um pouco de pensamento, um pouco de bioquímica e um pouco de cultura. O fato de pertencermos a um mesmo espaço de socialização onde aprendemos a pensar, atribuir sentido e sentir de maneira parecida nos permite acompanhar o contador da piada e rir com ele.

Dessa forma, tomando o riso como o resultado do cruzamento de uma inteligência pensante, um corpo capaz de certo tipo de descarga prazerosa de energia e uma cultura que patrocina o humor, a conclusão de que só mesmo o homem poderia rir parece pertinente.

Sabedoria sisuda

Na contramão do que poderíamos dar como certo, isto é, de uma vida boa e feliz cheia de boas risadas, a sabedoria antiga garante: na vida virtuosa, não há lugar para gargalhadas. Trata-se, portanto, de uma manifestação indevida do homem.

Você que me lê tentando adivinhar o porquê dessa condenação se antecipa e sugere:

— Quem ri está de sacanagem com alguém. E ao fazê-lo, inferioriza, condena ao ridículo, humilha — em suma, entristece.

O palpite do leitor é interessante.

Atribui valor ao riso pelas suas consequências. Pelos efeitos. Rir da cara de alguém põe em xeque algo em si mesmo que o chacoteado preza. Ensejando sensações amargas. Esse efeito condenável determinaria o valor negativo de sua causa.

A condenação da causa

Mas haverá quem pense diferente. E condene o riso por outra razão. É o caso de Platão. Pai fundador da nossa filosofia ocidental. Para ele, o valor negativo do riso não se fundamenta na tristeza do chacoteado. Tampouco na eventual maldade de quem dele ri.

O intolerável no riso seria, para o filósofo, a sua causa.

Em outras palavras, o que faz alguém rir não deveria existir. Tampouco o riso decorrente. São um mal. O riso seria um sintoma, que aponta a ocorrência de algo grave, particularmente nefasto, que lhe dá causa.

— Mas que causa tão nefasta é essa, a do riso?

A ignorância sobre si mesmo. É do ignorante de si que todo mundo ri.

A FELICIDADE É INÚTIL

Ignorância de si mesmo

A filosofia ocidental começou com uma recomendação. A do autoconhecimento. Conhece-te a ti mesmo. Assim, o mais intolerável é essa particular ignorância. Que tem a si próprio como objeto.

Com efeito. Não parecia aceitável. O desconhecimento de si mesmo. De seus próprios atributos. Da própria natureza. Esse particular ignorante se encontra privado, em definitivo, de qualquer excelência. Viverá à deriva, a esmo. Perdido numa trajetória sem sentido e sem direção.

Assim, aquele que ignora a sua praia, isto é, as fronteiras de mundo nas quais sua essência é mais efetiva e eficaz, está impossibilitado de distinguir as condições de vida que lhe são mais adequadas.

Clóvis de Barros Filho

O ignorante de si mesmo é candidato forte a uma vida fracassada por ignorar onde está, de que meios dispõe e aonde precisa chegar.

Primeiro a ser zoado

Pois muito bem. Para Platão, é exatamente este aí, ignorante de si mesmo, de quem chacoteamos em primeiro lugar.

Rimos daquele que vive à deriva. Feito barata tonta. Que não sabe de onde veio ou para onde vai. Que não se conhece. E, por isso, ignora seu lugar no mundo. Aquele que se equivoca sobre si. Toma-se por mais do que é. Por diferente do que é. Por outro, em suma.

A chacota, portanto, é motivada pelo fracasso da vida. Pelo erro sobre si mesmo. Pela impossibilidade de uma vida plena. Rimos de quem vive e não sabe por quê. Tampouco para quê. O humor nasce de todas as situações em que a vida é sem sentido. E, portanto, sem valor.

A FELICIDADE É INÚTIL

Em contrapartida, se fôssemos todos profundos conhecedores de nós mesmos, e vivêssemos sempre em harmonia com nossas forças, alinhados à nossa natureza e aos nossos talentos, estaríamos sempre no lugar que nos corresponde. Não transbordaríamos. Não excederíamos nunca. Ninguém seria sem noção. E ninguém riria de ninguém.

Não sendo esse o caso, zoamos daquele acanhado em capital estético que se toma por belo. E galanteia com confiança. Do gago que se crê loquaz. Do baixo que se acha gigante. Do obeso que se vê em forma. Do sovina que se identifica como generoso. Dos injustos, indignados com a injustiça alheia. De desonestos incapazes de divisar a própria desonestidade. De covardes bradando valentia. Quando já estão a salvo.

Campeão americano de Proust

Pequena Miss Sunshine. Filme de 2006. Estrelado pela notável Abigail Breslin. Uma

Clóvis de Barros Filho

família de seis pessoas viaja pelos Estados Unidos numa Kombi velha. Duas cores. Saia amarelo-gema. Para levar a um concurso de beleza infantil uma garotinha. Que opera, enquanto padrão físico, bem à margem do esperado para tal competição.

Dentro da Kombi, interagem os personagens. Um tio, que se toma pelo mais famoso estudioso de Proust dos Estados Unidos. Convalescendo de uma tentativa de suicídio. Um avô, desbocado e viciado em heroína. Um adolescente acabrunhado e mudo por opção. O pai. Com quem, claro, me identifiquei. Palestrante motivacional. Fracassado. E a mãe. Exaurida. Que segura a onda de tudo.

Em cena impagável, o tio intelectual, empurrando a Kombi enguiçada no acostamento, sob sol a pino, dispara:

– Saibam que sou o maior especialista em Proust de toda a América!

A FELICIDADE É INÚTIL

Imunes ao riso

Em contrapartida, de quem jamais riríamos? Dos que conhecem a própria condição. E vivem de acordo com ela. Dos frágeis que se sabem frágeis. Dos feios que se entendem assim. Dos pouco astutos que reconhecem a própria dificuldade. Dos inaptos que aceitam esse ponto de partida desastrado. O que desperta o riso não é, portanto, a fragilidade. Tampouco a monstruosidade. Menos ainda a burrice.

O ignorante pode ignorar tudo, ou quase tudo. Se admitir sua condição, encontra-se blindado de toda chacota. Mesmo que desconheça quem descobriu o Brasil, o vencedor da última Copa do Mundo, a ida do homem à Lua ou o nome do presidente da República do próprio país.

Nenhuma dessas ignorâncias, por mais surpreendentes, seria adequada para despertar o riso. Porque, a despeito da maior ou menor gravidade da lacuna de repertório, a plena ciência dos próprios atributos permitirá, ainda assim, o ajuste da vida ao todo maior, a busca de certa harmonia com o cosmos. Condição de felicidade.

Indo além.

O ignorante que conhece e reconhece a própria ignorância não só não é risível, como também poderá ser tomado por sábio. Dependendo da concorrência, o maior sábio do seu tempo. E, portanto, candidato maior a uma vida feliz.

Na certeza aferrada de que nada sabe.

CAPÍTULO 17

Corpo em chamas e a chacota mais vil

FELICIDADE TEM A VER COM O EU. AFINAL, É DA FELICIDADE DELE QUE ESTAMOS FALANDO.

No princípio era o eu. Este viu que existia. Descobriu quem era. E, só então, foi habitar com os outros. Assim aprendemos a dar às nossas origens uma sequência em narrativa.

— De fato. Quem somos parece a primeira descoberta. Feita no interior de si mesmo. Precisamos dela para depois interagir.

Mas e se tudo fosse bem ao contrário?

Nesse caso, no princípio teriam sido os outros. Aí fomos levados a habitar com eles.

Clóvis de Barros Filho

Ainda vazios de definição. Como quem acaba de chegar da maternidade. Só então iríamos descobrindo, aos poucos, o que pensam a nosso respeito. Matéria-prima do que viemos a ser.

Essa descoberta nos permitiria comprovar alguma existência em nós. E muito depois, já nos finalmentes, formataríamos um eu. Esse que usamos como moeda. Tipo professor Clóvis. Na economia das trocas simbólicas.

Benjamin Button e seu curioso caso poderia aqui servir de holofote. Na inversão da seta do tempo, operada por Fitzgerald, nasce velho e morre bebê. Arranca do fim, com um eu bem definido. E, com o passar do tempo, vai identificando de onde ele veio. Em todas as nuances da sua construção.

Na contramão de tudo, caminha do consistente ao resvaladiço. Do consolidado ao incipiente. Dia a dia vai perdendo atributos. Rareando em história. Encurtando trajetória.

A FELICIDADE É INÚTIL

Perdendo experiência. Minguando em identidade. Até o quase zero. Do começo e fim da vida.

Mas falávamos do eu como moeda.

Eu-patrimônio

Um capital, quem sabe. Que disponibilizamos para viver com os outros. Assim, eu objetivado em CV arruma emprego. Traduzido em narrativa fofa, garante carinhos. Se enunciado por outros, pode assegurar crédito. Em consagração e muito mais.

— Não há dúvida. Esse tal de eu tem valor.

Alguns são aplaudidos de pé, sem precisar abrir a boca. Outros, quando chegam, impõem silêncio. Há aqueles que, ainda na ausência, geram inquietação. Medo. *Frisson*. Ou ternura.

Nem sempre o valor é tão alto. Ou positivo. A maioria nasce perdendo. Ou devendo pra banca. Precisando virar o jogo. Já entra

Clóvis de Barros Filho

em campo vaiada. Quando a partida começa, o adversário só toca a bola. Administrando vantagem de quatro gols.

– Rico ou pobre, cada qual zela pelo eu que tem na mão.

Eu agredido e triste

Todo eu, quando ameaçado, causa em seu portador um mal-estar. Com efeito. Cair no ridículo. Ser objeto de troça e chacota. De escárnio e maldizer, como as cantigas. Perder a face. Ficar com a cara no chão. Com o nariz arrastando. Nada disso traz muita felicidade.

– Mais perto dos dias de hoje, ser vítima de *bullying*. Vai do chato ao humilhante, do aborrecedor ao dramático.

Em defesa, alguns, desde os tempos da escola, ainda garantem, de nariz em pé, que o que vem de baixo não lhes atinge. Pensadores conhecidos asseguram que, quando temos certeza de nossos atributos, nenhum mal dito que os negue pode nos entristecer.

— Será mesmo? Não sei, não. Blindar a felicidade ante a sanha difamatória de nossos detratores parece, a cada dia, mais complicado.

Matéria-prima do eu

Saber quem somos. Ou pelo menos ter algo a dizer sobre si mesmo. Conseguir enunciar alguns atributos de identidade. Parece ser condição de alguma saúde psíquica.

Muito do que acreditamos ser nossa definição nos chegou de fora. Do olhar do outro. Em fragmentos. Implícitos. Não ditos. Ironias. Insinuações. É por esse outro que vamos juntando os cacos do que nos constituirá. Um espelho, portanto. Meio estilhaçado, é verdade.

De tudo que dizem, vamos nos servindo seletivamente. Apropriação de circunstância. Pegando o que mais serve. E costurando de um

Clóvis de Barros Filho

jeito só nosso. Criativo. Fazendo de nós mesmos o discurso mais eficaz possível. Para oferta no mercado das identidades. Para o consumo de quem possa se interessar. E nos interessar.

Se resolvermos mexer nos ingredientes da receita, não teremos vida fácil. Cada nova informação agregada, por mais anódina, é objeto de dura negociação. O outro é ciumento e possessivo. Agarra-se ao eu que é o nosso com unhas e dentes. Porque toda mudança implica morte. Perda. Luto. Dor.

— Que história é essa agora? Você sempre gostou de rabanete! Quem você pensa que é para apresentar-se diferente do que eu acho que seja?

A sociedade, que, como nós, luta para perseverar no seu ser, não pode mesmo facilitar. Se cada qual resolver inventar moda e mudar a definição de si, a cada instante, como bem

A FELICIDADE É INÚTIL

aprouver, pode fazer desandar premissas civilizatórias.

Afinal, como responsabilizar quem não é mais? Quem deixa de ser a cada duas horas? Como condenar hoje por conduta criminosa de há cinco anos, se nada tiver permanecido no tal sujeito ativo do crime?

Na liquidez absoluta, quem matou não está mais. Nada sobrou. As células são outras. Por isso, a identidade. Tão imprescindível para o olhar regulador do social. Só o idêntico pode pagar pelo que fez. Ainda que a foto do documento desminta o idêntico da identidade a cada nova ruga.

A vigilância é estrita. Não precisa nem de tribunal. Quando digo que o que mais quero é parar de trabalhar, ir morar num lugar onde nada acontece, você nem imagina a reação das pessoas. Invariavelmente o que ouço é:

Clóvis de Barros Filho

— Duvido. Você não vai aguentar. Em duas semanas vai estar dando palestra novamente. Imagine. Logo você. Sempre adorou o que faz.

Resta aceitar. Não sou dono da minha definição. Tampouco dos meus desejos. É preciso sonhar alinhado. Sonhos desautorizados serão tomados por erro. Ignorância sobre si mesmo. Motivo antigo de chacota. Enquanto a punição social ficar por aí, talvez dê pra ir aguentando.

Afinal, quem sou eu para saber o que quero da vida?

No final, tudo se confunde. Promiscuidade aduaneira. A fronteira entre a matéria-prima importada — aquilo que foram dizendo sobre nós — e o produto final feito em casa — aquilo que formulamos para defini-los — vai se borrando.

Na interação controlada. Na construção vigiada do eu. Em nome de uma essência verdadeira. De uma definição que cobra adesão. De si mesmo e de todos.

Eu é produto histórico e social

Claro que o recheio dessa definição depende muito da época em que vivemos. Da sociedade que frequentamos. Do entorno por onde circulamos.

Não custa insistir. É a sociedade que estipula o tipo de informação que temos de facilitar para identificar nosso eu. Em diferentes espaços, o eu muda de conteúdo.

Assim, o pertencimento a um clã, tribo ou família já foi o primeiro dado a ser enunciado. Sem ele, não havia eu. Até hoje, em universos mais apegados ao passado, ainda se põe em evidência o sobrenome na hora de falar de si. Ou de alguém outro.

Outro dia mesmo ouvi algo do tipo. Esperando para ser atendido no pronto-socorro de um hospital perto de casa.

Clóvis de Barros Filho

— Esse é um autêntico Tricúspede Mitral.

Esse sobrenome eu inventei. Homenagem ao professor Luigi, de biologia. Testemunha de fase muito boa da vida. Melhor esse do que um sobrenome de verdade. Para poupar nosso editor, o Marcial, de algum processo. Sabemos que os ânimos andam acirrados. E os concidadãos suscetíveis.

Não consegui identificar, olhando para aquele representante de tão nobre estirpe, a que atributo a porta-voz, com tanta obviedade, se referia. Um porte. Um olhar. Um andar. Um gesto. Mas nada ali justificava a distinção. O que teriam os tricúspide-mitrais de tão especial e tão facilmente discernível naquele representante do clã?

Choques de valor podem ser trágicos. Mas no caso daquele moço, o uso pomposo do nome de família para denunciar o eu tão especial, e tão invisível aos meus olhos, me fez sorrir.

A FELICIDADE É INÚTIL

Também, com a retina tão bem coladinha, não tinha mesmo como enxergar nada.

Mais recentemente, a profissão, ou o trabalho, tornou-se a informação de ouro a oferecer para toda identificação. Bem como a instituição na qual é realizado. Foi aí que virei o professor Clóvis. Quanto à instituição, bem, pulei muito de galho. Demitido que era com frequência. Terminei na USP. Onde pus fim aos meus dias de vida acadêmica.

Por fim, nossas práticas de consumo. A forma como usamos nosso tempo. Nossas estratégias de apropriação do mundo. E, quem sabe até, nossos propósitos de vida.

Melhor ir na manha

Por mais movediços que sejam os atributos que ofereçamos aos interessados em nos conhecer, toda acusação ou denúncia que os agrida visceralmente acaba por nos entristecer.

Clóvis de Barros Filho

Toda situação vivida que comprometa de forma taxativa nossa identidade nos humilha, nos apequena, nos obriga à dolorosa revisão de nós mesmos.

Dessa forma, um medo nos acompanha: o de descobrir não sermos quem pensamos ser. De dar a mão à palmatória sobre o mais visceral, o mais definidor, o mais genuinamente nosso. De ser desmentido no mais fundamental. De ter que passar a ser outra coisa. Para que o discurso sobre si recobre alguma credibilidade. Para que a identidade encontre alguma consonância com os flagrantes da realidade percebida.

Não raro nos entusiasmamos. Com pompa e circunstância. A sociedade aplaude. Dá linha pra nossa pipa. E vamos garantindo. Com peito de pombo. Aos quatro ventos. Que somos isso ou aquilo. Que gostamos disso ou daquilo. Que jamais aceitaremos isso ou aquilo. Que nunca nos relacionaríamos com esse ou aquele. E muito mais.

Enquanto isso, do outro lado do mundo, na vida vivida, aquela mesma dos encontros, afetos, inclinações, apetites, paixões, dores, angústias, excitações, atrações e aversões, a bola corre solta. Você vai sentindo sem se dar conta. Fingindo não perceber. Até certo ponto.

Mas chega uma hora que não dá mais. Cada célula torcida, desejosa ou enojada desmente todas as bobagens que você no gramofone anunciou sobre si mesmo.

Aí, meu amigo, de duas, uma. Ou você troca de discurso e paga o preço elevado de uma nova identidade. Ajustando a definição de si ao mundo da vida. Ou troca de corpo e de alma. Arrumando uma nova vida em defesa da sua definição.

E quanto mais pétrea for a identidade, mais demolidor será o desmentido. Por isso mesmo,

Clóvis de Barros Filho

é melhor ir na manha. Uma definição de si constituída de verdades menos tonitruantes pode acomodar melhor algum apetite inesperado. De um corpo ardendo em chamas.

E quando esse corpo, de repente em chamas, clama, do nada, exatamente pelo que, com os amigos, no vestiário do clube, mereceu por anos a fio a condenação mais fria, a chacota mais baixa, a acusação mais vil?

Aí, você busca um extintor poderoso. Ou troca de clube.

CAPÍTULO 18

A castidade do ser galinha

FELICIDADE TEM A VER COM AUSÊNCIAS. COM DISTANCIAR-SE. DEIXAR VIVER.

A rainha dona Maria I era mãe de D. João VI. Aquele mesmo que veio de Portugal com Napoleão nos calcanhares. E que tantas coisas aprontou por aqui. Nós, que estudamos história do Brasil, lá nos tempos da escola, ouvimos falar de uma tal abertura dos portos. Mas, com certeza, não parou por aí. Afinal, João trouxe a metrópole para a colônia.

O importante aqui é Maria. Sua mãe. Rainha. E louca. A ponto de precisar se fazer acompanhar o tempo todo. Por damas. Encarregadas de impedir que, com suas loucuras, fizesse estragos.

Assim, os lisboetas sempre a viam, em todas as suas aparições, acompanhada de outras mulheres. E diziam:

— Lá vai Maria, com as outras.

E a expressão ficou. Você conhece. Maria vai com as outras.

Nos dias de hoje, "Maria vai com as outras" refere-se a alguém com personalidade fraca. Que abre mão de suas prioridades, desejos, interesses e gostos. Que não se posiciona. Que prefere aderir às preferências alheias a qualquer tipo de conflito. Que se habitua a delegar decisões.

O que for mais conveniente para os outros também o será para si.

A constatação desse tipo de postura costuma se fazer acompanhar de valor negativo.

A FELICIDADE É INÚTIL

De contrarreferência. "Maria vai com as outras" é indicativo de fraqueza. De debilidade. De renúncia. De exemplo a não seguir, em suma.

– Pessoas fracas assim não podem ter uma vida boa.

De fato. Não há como pensar em felicidade, ou simplesmente em instantes felizes, numa vida de tanta anulação de si mesmo. A vida feliz requer um mínimo de autonomia. De controle sobre a própria trajetória. De ocupação de espaço. De presença.

A tal Maria vive uma vida que não é a sua.

Tudo parece bem redondo até aqui. Trincado de obviedade. Excelente ocasião para recuar. Buscar um olhar diferente. Perguntar-se sobre a pertinência da evidência. E, quem sabe, propor outra forma de entender as coisas.

Pegadas na areia da praia

Desde criança, aluno dos jesuítas, me perguntava.

Clóvis de Barros Filho

— Se Deus é perfeito e fez o mundo, por que o mundo não é perfeito?

Nunca se tratou de precocidade intelectual. Talento filosófico prematuro. Sabedoria na tenra infância. Gosto antecipado pela dúvida. Nunca. Nada disso. Era sofrimento mesmo. Tristeza. Solidão. Dor. Angústia. E, sobretudo, medo. Só isso. Que todo mundo tem. Em todas as idades.

Afinal, se Deus assegurasse a perfeição do mundo, as injustiças de que me julgava vítima desapareceriam. Portanto, sabedoria alguma. Interesse puro de um ser medroso.

Fiquei sem resposta por muito tempo. Até ler Simone Weil. Explicando antiga tradição judaica.

Se Deus ficasse em cima, de butuca, como se diz, controlando a perfeição do mundo, tudo seria mesmo perfeito. Mas, nesse caso, nós não seríamos como somos. E se não fôssemos

A FELICIDADE É INÚTIL

como somos, nós simplesmente não seríamos. E ponto-final.

Este livro não existiria. Minhas aulas e palestras, tampouco. Família. Amizades. Nada. Nem você. Leitor imperfeito. E o Marcial, então! Este, nem se fala. Não teria por que existir. Porque Deus teria corrigido tudo antes. Texto impecável desde o primeiro jato. Editor, pra quê?

Perceba que, nessa perfeição absoluta, Deus não teria ido além dele mesmo. O mundo não passaria de sua extensão. Um puxadinho divino. Tudo seria mais do mesmo.

Então. Para que eu, Clóvis, o editor Marcial, que nos lê em cópia, e você, leitor, pudéssemos, nós três, ter a chance de ser quem somos, isto é, imperfeitos, foi preciso que Deus, perfeito, autorizasse nossa imperfeição. Deixasse rolar. Aceitasse tudo que nos separa dele.

– E por que faria isso?

Clóvis de Barros Filho

Por amor, uai!

Uma forma de amor. Que se manifesta no recuo. Na retirada. Na ausência. No vazio. Como as pegadas na areia da praia. De quem já passou por ali. Mas se foi. E sozinho.

– Se Maria fosse uma rainha lúcida, provavelmente faria triunfar todas as suas vontades. Seria ela a mandar. Autoritária. Despótica. E seriam as outras a ir com ela. Condenando-as à perfeição dos seus caprichos. Estaria, neste caso, bem mais longe de Deus.

Não precisa ser Deus

O rio corre em meio às montanhas. Dá a impressão de que passa por onde estas autorizam. Tem seu fluxo determinado pelo que não é ele mesmo. E é só por isso que a cena rola. Que a vida é possível. No vazio da montanha. Porque o rio concede se deixar formatar pelas reentrâncias do vale. Ora mais raso e espalhado, ora mais caudaloso e encurralado.

A FELICIDADE É INÚTIL

Mas nessa bucólica cena de rio e montanha, as coisas não acabam aí. Porque, bem devagar, o rio vai sulcando. Erodindo por onde passa. Tornando os espaços mais cômodos. Fazendo o mundo a seu gosto. Em fluxo mais fluido. Em dimensões mais *soft*.

Mas isso é devagar. Bem devagar. Ao longo do tempo comprido. Imune ao olhar apressado. À percepção desatenta.

Assim, pra quem vê de relance a cena, a impressão é de um rio Maria vai com as outras. Submisso às formas que não são as suas. Mas para quem não tem apuro, entendido de coisas da corte, percebeu faz tempo que são as outras que acabam vindo com Maria. Levando a montanha no bico. Na loucura de um rio que não tem pressa para dar as cartas.

As rochas do ser

A filosofia ocidental tem obsessão pela palavra substância. Um dos seus mais importantes

Clóvis de Barros Filho

conceitos. Por trás, sempre importou aquilo que não muda ao longo da vida. Que não se altera por existir. Que permanece, em suma. Que é essencial. E não meramente acidental.

Assim podemos encontrar substâncias por trás de formações aparentes. Água que se apresenta líquida no rio, sólida nas geleiras e em vapor na sua chaleira. É água. A substância não muda. Troque a água por cera. Pode vir pastosa. Ou em bloco. Como o sabão. Mas segue cera. É a substância.

Agora, troque a água e a cera por Antônio Carlos. Vai todo engomadinho e formal à formatura. De bermuda e esculachado com os amigos. Tímido e respeitoso ante o chefe. Metido e marrento no papo com o zelador. Atencioso quando apaixonado. Infiel e descuidado na zoação.

A substância de Antônio Carlos, no caso de haver alguma, continua. Segue a mesma.

A FELICIDADE É INÚTIL

E se, porventura, nada permaneceu é porque substância não havia.

Nesse nosso mundo ocidental, o mais importante, portanto, é o que permanece. Sempre foi. Que se impõe ao trânsito da vida. Que vence o fluxo e a transformação.

Assim, as pessoas se definem por intermédio de características que julgam permanecer nelas mesmas. Por resistirem aos encontros. Como as rochas, que, em face do fluxo líquido da vida, garantem-se. Impondo-se. Por onde estiverem.

Quantas vezes já não teremos ouvido: eu sou mais eu, destacando uma substancialidade pessoal. Homem que é homem não faz isso, substância de gênero. Integrantes da nossa família não se curvam a esse tipo de situação, substância de clã. Somos brasileiros e, portanto, não desistimos nunca.

Frases bradadas com a convicção dos convencidos, com o peito inchado dos orgulhosos.

Clóvis de Barros Filho

Na busca de aceitação, de reconhecimento, de legitimidade, de aplauso. Sendo tanta coisa, não há como vivermos como Maria. Aquela. Que só vai com as outras.

Como Deus, então, nem se fala.

Cantinho reservado pro mundo

Peço ao leitor que aprecie comigo de maneira mais desarmada quanto essa vida pétrea e rochosa pode se tornar cheia de atritos. E, portanto, dolorosa, áspera, rascante.

– Não entendi muito bem essa analogia.

Insisto. Crenças ferrenhas em alguma substância podem engessar a vida vivida e suas muitas situações. Minha filha Natália, desde que nasceu, foi se convencendo, por conta do que ouvia a seu respeito, que é – olha o verbo ser aí – muito dedicada, focada, determinada, responsável, estudiosa etc. Quantas rochas. Quanta montanha.

A FELICIDADE É INÚTIL

Ao longo da vida vivida, fez amigas e amigos. Viveu situações propícias ao relaxamento. Encontrou gente divertida e desencanada. Chamando para sair. Disposta a curtir com o que se apresenta. Que não tá nem aí com os chamados afazeres. Esse é o rio. Com seu fluxo. Vida em movimento.

— Entendi. A vida esbarra no ser. Como o rio esbarra na rocha. Quanto mais rocha, mais o rio se encolhe, estreita e range. Fluxo asfixiado.

No caso da Natália, o ser e a substância asfixiam o fluxo da vida. A ponto, imagino, de ela se privar. Dizer que não tem a ver com ela. Que não é a sua praia. Posso imaginar.

Exato. Como um ser raivoso compromete a calma desejada na vida vivida. Um ser melancólico denuncia toda euforia. Um ser generoso pode asfixiar toda vontade de conservar para si. Um ser galinha desautoriza eventual inclinação pela monogamia fiel, ou mesmo pela castidade.

Clóvis de Barros Filho

– Mas, então, o que fazer? O que colocar no lugar?

Cheia de vazio

Quem sabe, em vez de uma substância cheia de conteúdos, cheia de concretudes, por que não uma outra, com um pouco mais de vazio? Ou, quem sabe, uma negação de substância?

E assim, no lugar de ser tanta coisa, vai-se apenas vivendo.

Com menos sofrimento, talvez. Quando a vida vivida desfia o ser. O acidente encara a essência. A situação não cabe na substância. E o episódico ridiculariza o permanente.

O rio da vida vivida pede passagem. Vai fazendo seus estragos. Resistido pelas rochas da identidade. Nas montanhas da convicção sobre si. No apego por um eu que não aceita erosão. No desespero de quem precisa ser alguma coisa. Pra ter onde se agarrar. Quando o inédito inesperado ameaçar. Levar de roldão. Balançando por dentro. Vergando por fora.

— E se for tudo diferente?

Nesse caso, abriríamos mão de tanto ser. De tanta substância. E, não sendo muita coisa, ou quase nada, resistiríamos menos ao que é fluxo. No meio de tanta rocha convicta, a despretensão discreta de quem primeiro vive. E só depois, quem sabe, vê o que aconteceu. Deixar de ser para poder viver.

No vazio de tudo também não há todo. E o que vai aparecendo só insinua. Pinceladas que sugerem. Marcas que não marcam. Nem deixam marcas. Porque nada fixa. Nada fica. Particular ausência de tudo que surge para o desaparecimento. E interage em movimento desprendido. Sem imposição. Tampouco submissão.

A montanha abre as portas e o rio passa. O rio repousa e a montanha avança. O céu

Clóvis de Barros Filho

de Urano, moldado nas reentrâncias de Gaia, espera que ela gire, para mudar de cor.

E o vazio fica longe de esvaziar e tirar a graça. Bem ao contrário. Só ele permite luzir. No acolhimento do cantinho reservado. Onde a vida, ...caraca, acabou de passar. Agorinha mesmo.

Agora, só a próxima.

CAPÍTULO 19
All Star das últimas páginas

FELICIDADE TEM A VER COM ENTENDER E ESQUECER.

A vizinha do sábio indiano

Voltaire, conhecido pensador francês, que faz lembrar o ensino médio e a Revolução Francesa, examina, num conto, as condições de uma vida feliz. O personagem central é um sábio indiano. Desses que passam muito tempo da vida pensando nas coisas mais profundas.

Esse sábio tinha uma vizinha. Bem diferente dele. Vivia a vida do dia a dia sem nenhuma

Clóvis de Barros Filho

reflexão. Por falta de hábito. De interesse. De repertório. Assim, cada mundo por ela encontrado é interpretado nos limites estritos da aparência e no rigor mais asfixiante do senso comum.

Ainda assim, não parecia lhe faltar alegria. Sobre seu cotidiano, podemos, nós, deixar a imaginação correr solta.

Cantava sozinha. Acompanhava a música do rádio. Imitava a dança dos seus preferidos. Sensualizava no *funk*. Aplaudia no final. Conversava com os apresentadores. Delirando alguma interação. Até os *jingles* publicitários ela acompanhava. Imitando como conseguia.

Em algum momento, o sábio é perguntado sobre a vizinha. A conhecida resposta dá muito pano pra manga.

— Eu já me disse cem vezes que seria feliz se fosse tão tonto quanto minha vizinha. No

A FELICIDADE É INÚTIL

entanto, não queria de jeito nenhum essa felicidade para mim.

A relação da felicidade com pensamento, entendimento, compreensão e conhecimento pode ser bem controversa.

Jeans e camiseta branca

Lembro-me de um convite para uma aula de química orgânica. Estava no Direito. E a moça, aluna daquela disciplina, parecia querer muito minha presença. Seus atributos de alma justificavam esse e outros aceites.

Era sábado. De uma manhã ensolarada. Lá na Cidade Universitária. O ônibus elétrico me levou pela Augusta. Quase da Paulista, até lá. Fui com o *Emilio* nas mãos. Um Rousseau ajuda a distrair.

Ao chegar, ela já estava. Como sempre. All Star sem cadarço. *Jeans* e camiseta branca. Nessa época eu enxergava longe. Minha anfitriã

Clóvis de Barros Filho

conversava com os colegas. Ao me ver, pediu licença. Era dessas pessoas que pensavam mais do que diziam. E sentia muito além do pensamento. Olhou nos meus olhos e sorriu. Balançando a cabeça com o charme que sabia ter.

— Você veio. Tô muito feliz.

Foi o ápice do programinha matinal. Daí pra frente, foi ladeira abaixo. A aula começou. O professor era convidado. Sérvio. Lecionava nos Estados Unidos. Poucas vezes na vida me senti tão distante de alguma compreensão. Tão desarmado para o entendimento.

Em inglês com sotaque, as primeiras frases foram suficientes para desatar qualquer esperança. Tudo ali passaria muito longe de fazer sentido.

Tentei aqui e acolá lançar amarras. Forçar tangências. Fucei em tudo que era mais imediato e mais remoto dentro de mim mesmo. Debalde. A incompreensão reinava soberana.

A FELICIDADE É INÚTIL

Absoluta. O vazio de significado denunciava a impotência. Tristeza em estado puro.

Restava à alma escapar. Fugir dali. Vagar. Vagabundear ociosa. Por onde bem lhe aprouvesse. Mas o cenário, a mensagem que evoluía, o interesse dos demais me fez ranzinza. Carrancudo. Pouco apetecível. Talvez tenha mesmo ganhado em feiura. Perdido em charme. Já ralo.

E tudo isso, por conta da ignorância. Da falta de recursos. Do vazio de instrumental intelectivo. Ante uma vida que, para ser degustada e feliz, exigia referências de que não podia dispor. Quanto à aluna, dela ficou a lembrança. Do sorriso. Do All Star velho. E do olhar.

— Nossa! Quer dizer que não rolou?

Não. Da minha extensa coleção de fracassos afetivos, esse deixou sequelas. Na comparação entre a vida afetiva e uma harpa, diria que as cordas correspondentes à tristeza são as mais longas. Mais graves. Vibram por muito mais tempo. Seguem longe após o dedilhar. Já as cordas da alegria são as curtinhas. Agudas e preguiçosas. Retomam o repouso o mais rápido que podem.

Tanziri e a consagração em circuito

Situação semelhante vivi anos depois. Já na pós. Em Paris. O professor era Pierre Bourdieu. Do Collège de France. Assistia regularmente a suas aulas na companhia de Tanziri, amigo tailandês.

A sociologia de Bourdieu nunca foi de compreensão imediata. Ao menos para mim. Atribuir algum sentido era desafio permanente. Os iniciados babavam. Mas pra quem foi formado em Processo Civil, as coisas da dominação simbólica não se deixavam desvendar tão fácil. Ainda que prometessem muito.

Lembro-me de uma frase que me desafiou. Acho que foi pelo tom de obviedade que o porta-voz imprimiu.

A FELICIDADE É INÚTIL

— Os circuitos de consagração social serão tanto mais eficazes quanto maior for a distância social do objeto consagrado.

Levei tudo gravado para casa. Transcrevi, reli palavra a palavra, tudo de uma vez, mais rápido, mais devagar, em francês no original, em português na minha tradução. E o significado continuava tão distante quanto qualquer butano de anos atrás.

Um pouco mais confiante do que nos tempos da camiseta branca, solicitei explicação. E Bourdieu me a concedeu.

Mais uma vez deparava com o mais importante. Passar da falta de compreensão para a compreensão, da falta de significado para o significado, do zero de sentido para um pouco de sentido traz um refresco para a alma. E certo orgulho de si mesmo.

Nas mais diferentes épocas, já tinha sido assim.

Clóvis de Barros Filho

Ilha de logaritmo

Um dia tive que engolir que log de a na base b é igual a x, porque b elevado a x é igual a a. Sequências de informações que trilhavam um caminho próprio. Impávido. Sem dar satisfação a nada e a ninguém. Rumo ao inferno. Ilha de significado. Cercada de ignorância por todos os lados. Desconectada de todo o resto. Pronta para ser ejetada do mapa. Feita para o esquecimento. Logo após a prova. Mas amargando a existência do seu tempo.

— Não entendi nada. Patavinas, como dizíamos naquele tempo.

A cidade de Pádua em tempos remotos tinha esse nome. E seus habitantes eram conhecidos por não serem muito bem entendidos quando em conversa com gente de outros lugares. Por isso, o que diziam era chamado de patavinadas. Tito Lívio era conhecido representante

A FELICIDADE É INÚTIL

do local. E também famoso por dizer coisas incompreensíveis pela maioria.

De Pádua e de Tito Lívio surgiu a expressão. Não entender patavinas. Forma abrasileirada do português de não perceber patavinas. Para não atribuir sentido. Não perceber. Não compreender. Pádua e Tito Lívio ficaram para mim. Como símbolos de incompreensão. E das tristezas que lhe são correlatas.

Para além do entendimento, a memória. Sendo produto do instante presente, como todo o resto, refere-se ao já vivido e seus significados pretéritos. Aos entendimentos de outrora. A memória e seu contrário também interferem na vida boa. Na felicidade possível.

— De fato. Não se lembrar de nada como consequência de alguma doença põe a vida num outro patamar.

Clóvis de Barros Filho

Memória garante eficiência

A situação é de trabalho. Valendo promoção. O novo chefe, que acaba de entrar na sala, é conhecido. Passado compartilhado que pode se converter em vantagem competitiva. Afinal, você não se lembra de ter pisado muito feio na bola. O momento é propício para abordá-lo. De definição do time que fica jogando. Mas seu nome não vem à mente. Ele se aproxima. Esboça um sorriso. Estende a mão. E cumprimenta pelo nome.

– Nossa. Pega muito mal quando isso acontece.

Nem me fale. Ter boa memória é uma mão na roda. Quebra o nosso galho o tempo inteiro. Lembrar-se da fisionomia de alguém permite não passar batido. Saber o nome de quem acabou de chegar azeita a relação.

Competência de converter em uso imediato o que se encontrava estocado em prateleira de remotíssima visitação. Lembrar-se do já sabido no calor da vida e na urgência da necessidade nos torna eficazes. Competitivos. Contundentes.

Imaginemos outra situação. Alguém cuja mente se ocupa, em todo o tempo de vigília, do já vivido. Revisitando situações. Recuperando dados. Em permanente estado de resgate. Ao longo da vida, a percepção sensorial do mundo que se apresenta é esfumaçada por alguma lembrança. De outro tempo e outro lugar.

Esquecimento garante foco

Ninguém há de duvidar também. Todos carecemos de alguma capacidade de esquecimento. De anulação da memória. De desativação da lembrança. De ruptura com o já vivido. Só essa virgindade permitiria presença plena, instantaneidade absoluta, um presente que se basta.

Clóvis de Barros Filho

Muito do que nos aconteceu, experiências pretéritas, são resgatadas em memória, coexistindo com a percepção imediata do mundo. O desfocamento é evidente. E a fragilidade, óbvia.

Afinal, se estivéssemos 100% ali no instante, corpo e mente, estaríamos atualizando nossa presença de forma mais inteira e completa. Mas quando o corpo está onde a mente não acompanha, ou quando a mente está onde o corpo não se encontra mais, as forças se dividem, a vida se dilacera.

Nem sempre o presente é atrativo o suficiente para assegurar 100% da presença. Assim, muitas vezes, o mundo se vê turvado pelo já vivido. Que se impõe por vezes com força. Fazendo-nos viajar, brisar, sair de onde estamos.

A lembrança pode ser desagradável. Nesse caso, além de fragilizados, vemo-nos amargados pelo resgate de uma vida que já não tínhamos

A FELICIDADE É INÚTIL

curtido muito. Nem da primeira vez. Quanto mais nesse repeteco pobre e perturbador.

Mas a lembrança pode ser boa, agradável, prazerosa. Nesse caso, poderíamos supor algum ganho na recordação.

Mas quando a memória deixa claro, no placar luminoso dos afetos, a superioridade do já vivido perante a experiência imediata, a nostalgia aperta a garganta, a saudade preme o esôfago. O passado esfrega na cara do presente que um dia tudo já foi melhor.

Nesse caso, resta aceitar que hoje, para que a vida vivida seja suportável, é preciso vivê-la, em *replay*. Em reprise. Em recordação. No borramento nebuloso da lembrança. Que, ainda assim, se apresenta como mais atrativa do que a clareza vívida do presente percebido. Esse mesmo, que não gostaríamos de estar vivendo.

Clóvis de Barros Filho

Aqui seria a sogra

Certa vez repeti quatro vezes a mesma pergunta. Sei que não era pertinente à matéria. Era aula de português. E eu queria saber mais sobre Salazar. Ditador português que governou seu país por algumas décadas ao longo do século XX. Mestre Manoel Pereira do Vale sabia muito da história de Portugal. Mas não me satisfizeram as respostas.

Enfadado com a insistência, o professor me pôs no lugar.

— Ruminantes são assim mesmo. Andam sempre à nora.

A parte do ruminante eu entendi. Animais que ficam com o mesmo alimento na boca muito tempo. Ante a minha insistência, fazia sentido. Já a tal da nora passou batido. Sem entendimento.

Humilde, terminada a aula, fui me desculpar. E aproveitei para perguntar do que se tratava.

Mestre Vale me explicou que a expressão "andar à nora" queria dizer isso mesmo. Repetir. A origem se encontrava no poço de água. Na ponta da corda um tipo de balde, chamado alcatruz. Que é levado verticalmente até onde se encontra a água. Essa corda, por sua vez, que sobe e desce, se apoia num tipo de roldana. Denominada nora, justamente.

Portanto, andar à nora é de certa maneira não sair do mesmo assunto. Insistir à exaustão no mesmo tema. Aborrecer os outros com o mesmo problema.

Não custa insistir. Se a vida tiver que ser boa, o esquecimento é mais do que aconselhável. Só ele concede ao inédito, ao virginal do mundo vivido, uma chance. Para encará-lo de

Clóvis de Barros Filho

frente. Com o peito aberto. Sem os escudos do passado nebuloso.

Sempre a sugerir alguma fuga.

CAPÍTULO 20

Empreste.
Mas peça de volta!

FELICIDADE TEM A VER COM DESEJAR QUE NÃO ACABE, DESEJAR REPETIR E DESEJAR COMPARTILHAR.

Pela primeira vez em 13 anos, os 13 primeiros anos da vida, eu não estava com a mochila pronta. Doidinho para cair fora. Era um seminário na escola. Sobre o petróleo. A galera veio em peso. Gente das outras classes. Faxineiras. Professores. Padres. Coordenadores.

Viva de tal maneira a desejar a eternidade daquele instante. A não querer sair dali. A nunca estar com a mochila pronta. A jamais

Clóvis de Barros Filho

ficar olhando no relógio. Viva a lamentar o término. A não se conformar com o fim. Porque quando a vida é boa, é assim mesmo. Não queremos que acabe. Nunca.

E a morte de cada instante só pode ser lamentável.

— Quem não vê na morte nenhum problema é porque não curte a vida que vive. Sempre achei isso.

Pois é. Mas esse negócio de viver desejando a eternidade, que a vida ali mesmo não acabe nunca, é meio frustrante. Afinal, sendo vida, acaba acabando. Pelo menos esta, nossa, dos mortais. Condenados à finitude curta. Com dia e hora pra acabar. Aliás, acho que vida é sempre assim. Quanto aos deuses, esses que não morrem nunca, suas existências, para mim, não são propriamente vida. Serão outra coisa. Em eternidade.

A FELICIDADE É INÚTIL

Se é vida, tem que ser como a nossa. Com começo, meio e fim.

Exemplos de vida que não queremos que acabe. Filmes argentinos com Ricardo Darín. *Tieta*. O livro. Mas sobretudo a novela. Com seu elenco estrelado e genial. Telê Santana no São Paulo. Antes, os menudos do Cilinho. Depois o Murici, claro. E, no bar, a companhia achada ali diz que tem que ir. E você argumenta. Mas amanhã é domingo. Fica mais um pouco.

— E quando acaba. Resta lamentar.

A quadra tá ocupada

Podemos nos organizar para tentar repetir. Digo tentar. Porque uma repetição perfeita implicaria igualdade. Ausente do mundo da vida. Exclusividade da matemática. Repetir exigiria encontrar o mesmo mundo novamente. Em outro momento. Com o mesmo corpo e a mesma alma. Três impossibilidades. Como impossível também é a raiz de menos um.

Clóvis de Barros Filho

Corpos, almas e mundos por eles flagrados. Encontram-se em fluxo, ininterrupto. Um deixar de ser. Que nunca deixa de ser. Heráclito já terá falado alguma coisa sobre não se banhar duas vezes no mesmo rio. Não rola mesmo. Ele tem razão. Nem o rio esperou pelo segundo banho. Nem o banhista esperou pelo segundo rio. Outra água. Outro corpo a lavar.

Outro tudo.

– Mesmo assim, não custa tentar.

Resta mesmo desejar a repetição. Se foi legal bater uma bolinha no Ibirapuera com os amigos da escola no sábado pela manhã, nada impede de marcar de novo. Sábado estamos lá.

Ainda que possa chover. Que o Arnaldo tenha ficado doente. Não o árbitro comentarista. Mas o nosso goleiro. Ainda que o Beto tenha chutado a bola na avenida. Que outros tenham ocupado aquela quadra. Que

A FELICIDADE É INÚTIL

os vitoriosos da semana passada tenham sido derrotados desta vez. E vice-versa.

– Quer dizer que não rola nem eternidade, nem repetição?

Não rola. Mas o desejo de que role já é um bom sintoma. Aliás, por que você não submete sua vida a esse duplo teste?

Será que gostaria que esse instante não acabasse? Seria legal se durasse pelo menos um pouco mais?

E sobretudo: como seria a vida se eu tivesse de repetir infinitas vezes isso que estou vivendo neste instante? Tipo, todo dia tudo de novo? Igualzinho?

Se a resposta for "Deus me livre!", mau sinal. Mas se, por acaso, você não visse nenhum problema, ou melhor ainda, exultasse com a possibilidade de passar por aquilo, tal e qual, até o último dia de vida, teríamos muito que comemorar.

Clóvis de Barros Filho

Em Portugal, caminhando pelas ruas do Porto. Das pontes que vêm de Gaia, passando pela baixada, até Matosinhos. Dia inteiro na rua. Todo dia poderia ser assim. Tal como foi. Sem tirar nem pôr. Mesmo restaurante. Mesmos cafés. Mesmas estações, livrarias, torres e parques. Mesmo jantar, com os amigos Miguel Maria e a esposa, Alessandra.

Amada mãe

— Repetir todos os dias a mesma coisa. Muitos de nós acabam fazendo isso, mesmo sem desejar.

Você tem razão. Lembrei-me agora de uma aula na ECA. Escola de Comunicações e Artes. Depois de quatro horas ininterruptas, ao meio-dia, o aluno, calado até então, levanta a mão.

— Sempre tem um chato assim. Que deixa pra perguntar quando todo mundo quer ir embora.

A FELICIDADE É INÚTIL

— Professor. O senhor vai repetir essa aula em alguma sala hoje à noite?

— Vou. Nesta mesma sala.

— Se incomoda se eu vier assistir de novo?

— Não. De jeito nenhum.

Eis que levanta a mão novamente. Para outra pergunta. Talvez agora a verdadeira dúvida inicial.

— Professor, o senhor permitiria que eu trouxesse a minha mãe?

— Não entendi. Como assim?

— Ah, professor. Toda vez que termina sua aula, almoço com ela. Conto o que aprendi. Tento até imitar o senhor. Mas fica ruim. Gostaria que ela mesma visse. Tenho certeza de que, se assistisse a uma aula, não perderia nenhuma outra.

— Uma curiosidade. Por que exatamente a mãe?

Clóvis de Barros Filho

E sem medo de chacota ou *bullying*, o aluno menino, perante os colegas, esclarece sem receio.

– Minha mãe é a pessoa que mais amo desde que nasci. Tudo que vejo e ouço de interessante, gostaria que ela estivesse junto. É o caso da sua aula.

Veja. Talvez tenhamos encontrado algo mais. Além de eternidade e repetição.

Desejo de estar junto

O lamento pela ausência do ser amado. O desejo da sua presença. Do compartilhamento. Por isso, além de viver desejando que não acabe, ou repetir o vivido, nada impede que vivamos desejando a presença daqueles que mais amamos. Não iríamos querer proporcionar-lhes uma vida fracassada, frustrada, entediada, angustiada, sem graça. De jeito nenhum.

A FELICIDADE É INÚTIL

Que tudo isso se aplique à leitura. De *Felicidade é inútil*, por exemplo. Livro que chega ao final. Só posso esperar que tenha resistido até aqui. Que esteja desejando alguma continuidade. E, sobretudo, que queira proporcionar a mesma leitura, que ora se finda, a alguém mais. E que não seja ao pior inimigo. Mas a todos que queiram bem. Muito bem.

E olha. Nada de gastar dinheiro. E comprar outros e outros exemplares. Nada disso. Que Marcial, o editor, não nos ouça. Este mesmo livro que você tem nas mãos. Empreste. Ofereça o que é seu.

E, depois, cobre a devolução. Afinal, foi vida vivida. E vida boa. Vai que você queira repetir a leitura. Estarei por aqui. Não será absolutamente igual. Nunca. Mas assim é a vida. Inédita. Irrepetível. Virginal a cada instante. Por isso mesmo, uma improbabilidade sagrada, que reúne nela tudo que importa.

> Viva desejando a eternidade de cada instante.
>
> — Clóvis de Barros Filho

REVISTA ELETRÔNICA

INSPIRE-C))

INSPIRAÇÃO, REFLEXÃO E ÉTICA
CONHECIMENTO E DINAMISMO

www.revistainspirec.com.br

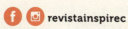

revistainspirec

Livros para mudar o mundo. O seu mundo.

Para conhecer os nossos próximos
lançamentos e títulos disponíveis, acesse:

🌐 www.*citadeleditora*.com.br

f /*citadeleditora*

📷 @*citadeleditora*

🐦 @*citadeleditora*

▶ Citadel - Grupo Editorial

Para mais informações ou dúvidas sobre a obra,
entre em contato conosco pelo e-mail:

✉ contato@*citadeleditora*.com.br

Este livro foi impresso em 2022, pela PlenaPrint,
para a CITADEL EDITORA.
O papel do miolo é Ivory Bulk 58 g/m².